CB051739

ZEN SOCIALISMO

ZEN SOCIALISMO

OS MELHORES *POSTS* DO *BLOG* SOCIALISTA MORENA

1ª edição — Novembro de 2015

Grafia atualizada segundo o Acordo Ortográfico da Língua Portuguesa
de 1990, que entrou em vigor no Brasil em 2009

Editor e Publisher
Luiz Fernando Emediato

Diretora Editorial
Fernanda Emediato

Assistente Editorial
Adriana Carvalho

Capa
Maneco Guimarães

Crédito imagens de capa:
Nina Vatolina, 1941 ("Fascismo é o maior inimigo das mulheres")
Igor Kominarets, 1976 ("Ao feriado, queridas mulheres")

Projeto Gráfico e Diagramação
Alan Maia

Preparação de texto
Marcia Benjamim

Revisão
Juliana Amato

DADOS INTERNACIONAIS DE CATALOGAÇÃO NA PUBLICAÇÃO (CIP)
(Câmara Brasileira do Livro, SP, Brasil)

Menezes, Cynara
Zen socialismo (os melhores posts do blog Socialista Morena) / Cynara Menezes. -- São Paulo: Geração Editorial, 2015.

ISBN 978-85-8130-336-9

1. Blogs (Internet) 2. Jornalismo 3. Política
4. Socialismo I. Título.

15-06312 CDD: 070.402854678

Índices para catálogo sistemático

1. Jornalismo na Internet 070.402854678

GERAÇÃO EDITORIAL

Rua Gomes Freire, 225 – Lapa
CEP: 05075-010 – São Paulo – SP
Telefax.: (+ 55 11) 3256-4444
E-mail: geracaoeditorial@geracaoeditorial.com.br
www.geracaoeditorial.com.br

Impresso no Brasil
Printed in Brazil

Para Darcy Ribeiro

A meus pais

Sumário

#APRESENTAÇÃO

Meu muro pessoal ruiu em 1989, quando Leonel Brizola foi derrotado na eleição para presidente da República, e, logo em seguida, Lula também perdeu. Não foi fácil digerir aquela derrota da classe trabalhadora, e justamente na primeira eleição direta para presidente após a volta de democracia no Brasil. Perder logo para um capitalista empedernido como Fernando Collor, com seu *jet ski*, suas canetas e gravatas de marca e sua turma de *Chicago Boys* liderada por uma *Chicago Girl* deixou marcas profundas.

O muro de Berlim de verdade caíra pouco antes do primeiro turno da eleição, em 9 de novembro. Eleito, Collor foi até Berlim pegar um naco de tijolo como *souvenir* e posar em frente às ruínas, fazendo o "V" de vitória. Certamente a queda do muro teve um peso forte em seu favor. Parecia que Collor — à direita — era o moderno e Lula/nós — à esquerda — éramos os antiquados, o passado que era preciso transpor. Metáfora perfeita para o muro. Dois anos mais tarde, como a corbelha do funeral do "comunismo", a União Soviética chegava ao fim.

Não que a minha geração tenha tido muitas ilusões com o comunismo soviético, chinês ou mesmo o cubano. A ideia de uma sociedade mais igualitária sempre teve, em mim, em nós, uma importância maior do que modelos a seguir. Mas a queda do Muro foi sem dúvida um evento divisor de águas. Houve quem falasse até que a esquerda acabou. No Brasil, o discurso da direita se tornou hegemônico, na imprensa e nos livros. Quem insistisse em falar de socialismo seria imediatamente tachado de anacrônico.

Eu tinha vinte e dois anos quando tudo isso ocorreu e mal tive a formação intelectual necessária para assimilar que, a partir dali, não podia sequer me aprofundar na teoria sobre o modo de vida que almejara como ideal. Passaram uma tinta negra sobre o socialismo. Com o fim da URSS como antítese do capitalismo ficou vetado o debate. Ridicularizado, era preciso esquecê-lo, virar a página. Ou, como fizeram os *yuppies* na era que se seguiu: fazer grana e curtir a vida no topo da cadeia alimentar, de preferência diante de um prato de cocaína.

Nasci no interior da Bahia e conheci muito pouco sobre os absurdos da ditadura militar até os quinze anos. Criança, marchei fardada nos desfiles do 7 de Setembro como se não houvesse amanhã. Foi só no segundo grau, depois da leitura de um livro de história, que tive acesso às primeiras notícias sobre torturas, desaparecimentos, censura, repressão. O poema de Bertolt Brecht que servia de epígrafe, *Perguntas de um operário que lê*, me tocou o coração e me fez perceber que era do lado esquerdo que ele batia.

Na faculdade, adolescente ainda, preferi a companhia dos anarquistas à dos comunistas do PCdoB que dominavam a política estudantil baiana, cheios de restrições morais em nome da ideologia (eles evoluíram bastante nesse sentido, reconheço). Fiz meus primeiros estágios como jornalista em dois sindicatos de trabalhadores, que foram importantíssimos na minha inclinação trabalhista. Isso me faz apoiar greves em geral, qualquer uma — a não ser que sejam locautes.

Pouco depois da derrocada da URSS, fui pesquisar sobre algum modelo de socialismo ou comunismo preexistente que me agradasse e não encontrei. Li sobre maoismo, o Khmer Vermelho, a bizarra ditadura albanesa de Enver Hoxha... E nada. Sangue demais, liberdade de menos. Descobri que Darcy Ribeiro e Brizola voltaram para casa após a anistia falando de um "socialismo moreno", *made in Brazil*, à nossa maneira, mestiça, tropical. Gostei.

Me parece impossível ler *O Povo Brasileiro* de Darcy e seguir impermeável à desigualdade social, impressa em nosso DNA como nação, ao racismo, ao colonialismo, ao agronegócio, aos bancos, ao capitalismo. Algum dia, se não fizermos nada a respeito, vão querer proibi-lo nas escolas como "subversivo". Quando deveria ser obrigatório, para que cada menino e menina conhecessem a história de nosso país desde o começo, sob a ótica do oprimido e não do opressor.

Com Darcy Ribeiro como guia e mestre, descobri que o socialismo na verdade não só independe do país onde se está como independe do governo. Não é preciso estar no poder para ser socialista. É uma forma de ver o mundo, de lutar por uma maneira de viver que a gente acredita ser a mais... humana. E enquanto lutamos vamos dando nossa contribuição ao planeta. Foi assim com as oito horas de trabalho, as férias remuneradas, a libertação da mulher ou os direitos civis para os negros. Vitórias socialistas.

Na realidade, acredito que a esquerda deveria sempre estar à esquerda dos governos, sejam eles quais forem. Até mesmo os de esquerda. Apontando os erros, mostrando outras opções de caminhos. Vejo o mundo, quase vinte e cinco anos após o fim da União Soviética, fazendo as pazes com o socialismo. A crise econômica na Europa, que levara a uma guinada à direita na década de 1990, agora faz os eleitores irem para um caminho inverso, com novos nomes despontando na Grécia e na Espanha.

A América do Sul, que nos anos 2000 retomou a trilha dos governos inclinados ao socialismo, interrompida décadas antes pelos militares, tem hoje três grandes e incontestáveis sucessos: o Uruguai, o Equador e a Bolívia. Houve acertos também na Argentina, Chile e na tão criticada Venezuela, onde Hugo Chávez foi a personalidade capaz de reacender o desejo dos socialistas adormecidos de se afirmarem socialistas. Com todas as letras.

Embora nunca tenha se assumido como adepto do socialismo, o PT no Brasil possibilitou conquistas para os mais pobres em doze anos de governo, e realizamos o sonho de colocar Lula, o operário, no poder. Lula foi um grande presidente. Sob um ponto de vista de esquerda, porém, já não era o Lula de 1989. Se sua capacidade de conciliação tornou possível a tal governabilidade, roubou um pouco do brilho do velho "sapo barbudo" que prometia rupturas com o "imperialismo" e a reforma agrária. O toque de sadismo da *realpolitik* viria com a aliança com o mesmo Collor que o esmagara no passado.

Com a imagem desgastada por escândalos e pela oposição ferrenha da mídia, a permanência do PT no poder parece cada vez mais questionada, à direita, mas também à esquerda. No fundo, o fato de o PT, seus acertos e seus erros terem virado sinônimo de "esquerda" no Brasil de certa forma prejudicou a esquerda. Com ou sem o PT no governo, a esquerda continuará lá, onde sempre esteve. Mas atenção: alguns acham que este é um momento de inflexão e consequentemente de derrota para a esquerda no Brasil. Pois eu aposto que uma nova esquerda está prestes a surgir também aqui.

Criei este *blog* para fazer um pouco, na verdade, do que sempre critiquei o PT no governo por não fazer: conscientizar politicamente a juventude. Em nosso país, ao contrário de outras nações capitalistas, inexiste uma imprensa forte de esquerda, socialista. Ou mesmo, para ser bem franca, uma imprensa com conteúdo mais sofisticado, para fazer pensar. E vejo muita gente sedenta por ler sobre o socialismo, sobre formas alternativas de ver o mundo, o Brasil, o sexo, as drogas, a história, a política, o transporte ou a economia. Os atuais meios de comunicação não falam nem escrevem para este público. Não nos provoca a lê-los.

Na obsessão de apear o PT do governo, infelizmente a imprensa brasileira tem se esquecido de fazer bom jornalismo, como fazem tantos jornais de direita no mundo. Em primeiro lugar, o jornalismo — só depois a conspiração e a politicagem, se houver. Acredito que uma das funções primordiais da imprensa, sua responsabilidade social, seja compartilhar conhecimento. Me parece uma tarefa hercúlea ilustrar habitantes de um país gigantesco como o nosso. Mas os jornais e tevês brasileiros algumas vezes teimam em fazer o contrário, disseminando ignorância. Lamentável.

Diferentemente de outros *blogs* políticos, que fazem *clipping* de notícias ou apenas emitem opinião, procuro oferecer diariamente a meus leitores, em primeiro lugar, o que posso fazer de melhor em termos de jornalismo. É o começo, espero, de uma longa e inovadora experiência de mídia à esquerda. Recentemente anunciei a independência completa do *blog*, que passará a viver diretamente de assinaturas e doações dos leitores. A internet pode ser uma forte aliada desse novo socialismo que desponta. E desse novo jornalismo também.

O nome é, claro, uma homenagem a Darcy Ribeiro, norte do *blog*. E autor de uma frase que resume tudo: "Os idiotas dizem que o socialismo morreu. Não morreu, porque o capitalismo não morreu". Enquanto escrevo essas palavras, milhares de pessoas morrem de fome, crianças descalças pedem dinheiro nas esquinas, velhinhos perdem suas casas, o planeta agoniza, o 1% continua a nadar em dinheiro e fundamentalistas religiosos tramam para transformar o Brasil numa teocracia. No que depender de mim, *no pasarán*.

A luta continua, camaradas.

#SOCiALiSMO #COMUNiSMO

Os 12 mandamentos do esquerdista moderno

I — Não ter o dinheiro como norte
II — Respeitar o próximo como a ti mesmo (não precisa amar, respeitar está de bom tamanho)
III — Não roubar o povo
IV — Ser pacifista (violência, só contra a tirania)
V — Amar a natureza
VI — Ser contra o latifúndio, os transgênicos e o uso abusivo de agrotóxicos
VII — Não perder a capacidade de se indignar
VIII — Acreditar e lutar por direitos iguais para todos, independentemente de raça, credo, origem, condição social ou orientação sexual
IX — Ser consciente da dívida histórica com índios e negros e apoiar políticas de ação afirmativa
X — Ser um defensor intransigente da liberdade: de pensamento, de expressão, de culto, de ir e vir, cognitiva
XI — Ser a favor do estado laico
XII — Jamais se esquecer (ou se envergonhar) do que sonhava aos vinte anos de idade

Ser *gauche* na vida

Li no jornal sobre uma entrevista de Carlos Drummond de Andrade em que ele dizia: "a esquerda, até agora, no Brasil, tem sido a parte mais errada da opinião pública, a que mais caiu em erros". O poeta querido afirmava abominar a direita, mas defendia a tese de que é possível "não ser partidário da esquerda e ter um pensamento consequente, que é o pensamento socialista, que não é propriedade da esquerda". Enfim: ser socialista não é propriedade da esquerda. Uau. Essa frase mexeu comigo.

O que o autor dos versos "Vai, Carlos! ser *gauche* na vida" quis dizer com isso? A entrevista foi dada na época da campanha das Diretas Já, em 1984. Drummond, aliás, era contra. Ele chegou a apoiar o golpe militar em 1964, depois se arrependeria ao ver que a coisa não era para o seu "paladar". Ou seja, o poeta mineiro possuía certo conservadorismo, mas detestava a direita, por um lado; por outro, desprezava a esquerda, mas admirava o socialismo. É possível?

Fica claro para mim que Drummond manifestava desagrado com o que a esquerda se tornara ao longo do tempo. Não se pode acusar a direita de haver queimado o filme da esquerda: a própria esquerda no poder se encarregou de fazer seu *marketing* negativo. Sob a égide do "socialismo" surgiram ditaduras, perseguiram-se opositores, restringiram-se liberdades individuais, houve censura, tortura e corrupção. E, mais grave: não se sanaram as diferenças sociais. O poeta devia pensar: como esses "esquerdistas" se atrevem a usar o nome do socialismo em vão? Se vivesse hoje em dia, Drummond não pensaria diferente: a "esquerda" continua blasfemando contra o socialismo. São poucos os reais esquerdistas representando o povo dentro dos partidos ditos de esquerda. Esquerdismo no sentido de ser progressista e um pouco além.

Ser de esquerda é não roubar nem deixar roubar; é ser contra a exploração do homem pelo homem e de países por outros países; é ser a favor da igualdade entre raças e gêneros; do Estado laico; é ser contra o preconceito e a intolerância; é ser a favor da natureza; de que o povo coma bem e direito;

da justiça social; é ser a favor de uma nova política para drogas e aborto; da reforma agrária; da moradia, da educação e da saúde de qualidade para todos. Ser de esquerda é ser um defensor incorruptível da paz, da democracia e da liberdade. E ser de esquerda é, sim, dar menos importância ao dinheiro e mais à felicidade. (Que me perdoem os bons ricos, deles será o reino dos céus.)

Vi com interesse a manifestação *Occupy Wall Street* e sua interessante bandeira dos 99% da população que não tem nada contra o 1% que tem tudo, contra a ganância dos especuladores e dos bancos, as grandes corporações exploradoras e contra os corruptos. Foi minúsculo e ingênuo, não importa, mas era um movimento de esquerda, da verdadeira esquerda revolucionária, agora pacífica. Uma luta de Davi e Golias. Garotos com cartazes na mão contra o capitalismo, a fome, a opressão, as desigualdades, a injustiça. Não era isso que pregava o socialismo em seus utópicos primórdios? Mas tenho certeza que, se alguém chegasse para muitos daqueles guris e fosse chamá-los "esquerdistas", iriam torcer o nariz e fazer um muxoxo igual ao Drummond.

A queda do muro de Berlim derrubou o socialismo naquele momento, mas, se pelo menos suas concepções teóricas ainda são respeitadas, não se pode dizer a mesma coisa do esquerdismo. Hoje, o capitalismo também começa a ruir a olhos vistos, está fazendo água, não é "perfeito" como os neoliberais apregoavam. As guerras que os países capitalistas promovem já não são suficientes para disfarçar o fracasso do sistema em si. Por uma coincidência cósmica, de novo The Wall deu o pontapé de partida. The Wall Street. Claro que a derrubada do muro foi televisionada 24 horas por dia enquanto a ocupação de Wall Street foi ignorada pela mídia. Mas quem é que esperava moleza?

Essa grande crise econômica que se avizinha deveria ser uma hora e tanto para repensar o "ser de esquerda", no mundo e no Brasil. Se estiverem interessados, os que se dizem de esquerda, os que se sentem de esquerda e os que amam a esquerda podiam aproveitar a oportunidade para rever bandeiras, ideais, discursos, projetos e, sobretudo, rever a prática do que é a "esquerda". Em vez de continuar a macular a expressão, torná-la digna de se associar ao termo "socialismo". Mais de vinte anos após o fim da União

Soviética, a palavra "esquerda" segue em baixa no mundo. Entre os direitistas, tanto faz que pensem assim. O mais triste é que ela está em baixa mesmo entre os que são de esquerda e nem sabem disso. Como os poetas.

Como os capitalistas financiaram o nazismo de Hitler e o fascismo de Mussolini

Quem fornecia o pesticida Zyklon-B (cianeto de hidrogênio) colocado nas chamadas "câmaras de gás" utilizadas pelos nazistas para exterminar milhões de judeus? A empresa alemã IG Farben, antecessora da mesma Bayer que continua a fornecer inseticida mundo afora.

A ignorância em torno do socialismo não resiste a cinco minutos de pesquisa no Google. A mais recorrente mentira que a direita tenta espalhar e que encontra receptividade entre jovens sem leitura, desconhecedores da história e que se contentam com meia dúzia de frases nas redes sociais, é que o sanguinário Adolf Hitler foi um socialista. Isso baseado na "genial" sacada que o nome do partido dele era Partido Nacional Socialista. Certamente devem achar que a Coreia do Norte é democrática e popular, já que se chama República Democrática Popular da Coreia. Ou talvez o PSB brasileiro seja socialista, né?

Vários esquerdistas na rede perderam algum tempo desmentindo a idiotice. Mas o cineasta independente grego Aris Chatzistefanou foi além e praticamente desenhou para quem se recusa a pesquisar ou pelo menos usar a lógica. A ascensão do nazismo de Adolf Hitler, na Alemanha, e do fascismo de Benito Mussolini, na Itália, durante os anos 1920, 1930 e 1940 só foi possível com a colaboração e o suporte financeiro de grandes corporações ainda hoje poderosas: BMW, Fiat, IG Farben (Bayer), Volkswagen, Siemens, IBM, Chase Bank, Allianz... Sem contar, é claro, com os grupos de mídia.

O filme *Fascismo Inc.* é o terceiro feito por Chatzistefanou para mostrar as origens da crise econômica na Europa e na Grécia em particular. São imperdíveis também os primeiros da série: *Dividocracia* e *Catastroika*, que denunciam a bolha imobiliária e depois a "ajuda" do FMI (Fundo Monetário Internacional), fiel à sua velha cartilha de socorrer os ricos em detrimento dos pobres. Em *Fascismo Inc.*, o cineasta esmiúça a estreita colaboração de industriais e banqueiros com os nazistas para perseguir e destruir o sindicalismo e os socialistas, a quem chamavam de "terroristas" (qualquer semelhança com o Brasil de hoje será mera coincidência). Detalhe: Hitler extinguiu o Partido Comunista alemão um dia depois de tomar posse.

O documentário relata inclusive como a perseguição aos judeus não foi apenas uma questão racial, mas também tinha interesses econômicos. Como os judeus integravam uma poderosa classe média na Alemanha de então, os nazis se utilizaram do racismo para fazê-los bode expiatório da crise, acusando-os de "roubar os empregos" dos alemães — não por acaso, o mesmo discurso que a direita utiliza atualmente em relação aos imigrantes na Europa. O fascismo de Benito Mussolini não foi, ao contrário do que os ditadores pregavam, um movimento de massas: o rei Emanuel III entregou o poder a Mussolini porque era o que queriam as indústrias do Norte da Itália. Para confrontar as massas de esquerda, era preciso criar um movimento de massas de direita. Que melhores líderes para isso do que o psico Adolf e o fanfarrão Benito?

O filme mostra ainda como, no tribunal de Nuremberg, as empresas envolvidas com o nazismo foram submetidas a uma pantomima de condenação. Enquanto os oficiais nazis foram enforcados, quem entrou com o dinheiro para financiar a empreitada foi solto anos depois — os diretores da IG Farben (Bayer), que fornecia os químicos para matar pessoas, foram condenados a, no máximo, oito anos.

Mas o pior são os sinais que Chatzistefanou está vendo, na sociedade grega, de recrudescimento deste nazifascismo financiado pela grana: os partidos neonazis gregos são apoiados por parte da elite econômica e dos grupos de mídia (olha eles aí de novo) do país. E o cineasta está convencido de que é uma tendência que pode se espalhar como consequência da crise. "Nosso lema é: 'o que acontece na Grécia nunca fica na Grécia'. Temo que este crescimento da extrema-direita e movimentos neonazistas, que estamos vendo nos últimos anos na Grécia apareçam em outros países da Europa, onde a austeridade foi imposta do mesmo jeito".

Muita gente usa a tirania do ditador soviético Josef Stalin para atacar a esquerda. Stalin (cujo exército, por sinal, derrotou os nazistas) é acusado da morte de milhões, mas o socialismo foi uma de suas vítimas. Hitler também matou milhões, mas o capitalismo não sofreu sob o nazismo ou o fascismo. Pelo contrário: foi seu financiador.

Algumas frases da autobiografia de Hitler, *Minha Luta* (*Mein Kampf*), deixam claro seu anticomunismo e sua estratégia de passar-se por socialista para enganar incautos. O que, pelo visto, consegue até hoje.

Com vocês, Hitler:

"A cor vermelha de nossos cartazes foi por nós escolhida após reflexão exata e profunda, com o fito de excitar a Esquerda, de revoltá-la e induzi-la a frequentar nossas assembleias; isso tudo nem que fosse só para nos permitir entrar em contato e falar com essa gente."

"Como não tinham logrado perturbar a calma das companhias mediante gritarias e aclamações ofensivas, os representantes do verdadeiro socialismo, da igualdade e da fraternidade, começavam a jogar pedras. Com isso foi esgotada a nossa paciência, e, em consequência, distribuímos pancadas à esquerda e à direita durante dez minutos. Um quarto de hora mais tarde, não havia mais um vermelho nas ruas."

"Nos anos de 1913 e 1914 manifestei a opinião, em vários círculos, que, em parte, hoje estão filiados ao movimento nacional-socialista, de que o problema futuro da nação alemã devia ser o aniquilamento do marxismo."

"Nesse tempo, abriram-se-me os olhos para dois perigos que eu mal conhecia pelos nomes e que, de nenhum modo, se me apresentavam nitidamente na sua horrível significação para a existência do povo germânico: marxismo e judaísmo."

"Só o conhecimento dos judeus ofereceu-me a chave para a compreensão dos propósitos íntimos e, por isso, reais da social-democracia. Quem conhece esse povo vê cair-se-lhe dos olhos o véu que impedia descobrir as concepções falsas sobre a finalidade e o sentido deste partido e, do nevoeiro do palavreado de sua propaganda, de dentes arreganhados, vê aparecer a caricatura do marxismo."

"Se o judeu, com o auxílio do seu credo marxista, conquistar as nações do mundo, a sua coroa de vitórias será a coroa mortuária da raça humana e, então, o planeta vazio de homens, mais uma vez, como há milhões de anos, errará pelo éter."

"No meu íntimo eu estava descontente com a política externa da Alemanha, o que revelava ao pequeno círculo que meus conhecidos, bem como com a maneira extremamente leviana, como me parecia, de tratar-se o problema mais importante que havia na Alemanha daquela época — o marxismo. Realmente, eu não podia compreender como se vacilava cegamente ante um perigo cujos efeitos — tendo-se em vista a intenção do marxismo — tinham de ser um dia terríveis."

Uma visão holística do socialismo. Ou: zen socialismo

Muitos leitores, sobretudo os jovens, me perguntam o que é o socialismo que defendo. Quando "o comunismo chegar", como é que vai ser? Os ricos vão ser mortos? O Brasil vai virar uma Cuba ou uma Coreia do Norte? Meu iPhone será confiscado? Enfim, todo tipo de pergunta. Não sou nenhuma teórica, mas vou falar aqui como eu vejo o socialismo à luz do século XXI.

Em primeiro lugar, não acredito em revolução, mas em revoluções. Acho que a ideia de que a classe trabalhadora irá se levantar e tomar o poder foi superada, pelo menos em um futuro próximo — não posso falar do que pode acontecer daqui a 300 anos. No entanto, acredito ser possível revolucionar, sob inspiração socialista, vários setores da sociedade: a educação e a saúde, por exemplo. Os socialistas defendem que a educação e a saúde sejam universais. Isso significa que devem ser públicas e gratuitas. Capitalistas acham que não.

Socialistas também defendem que todos tenham acesso a terra para plantar. Por que seria necessário matar alguém para isso, se pode ser feita uma reforma agrária de maneira perfeitamente legal, pelo Congresso, tirando o excesso de terras em mãos de latifundiários e redistribuindo para quem precisa? O mundo mudou e os socialistas mudaram com ele — quem continua a matar gente é o capitalismo. Outra revolução possível no campo seria garantir que a nossa comida não seja alvo de experimentos científicos motivados pela vontade de produzir mais para ganhar mais dinheiro, sem nenhuma preocupação com o bem-estar do ser humano. Capitalistas não estão nem aí para isso. Socialistas, sim.

No socialismo moderno, não enxergo a necessidade de se "eliminar" os ricos ou de "reeducá-los", como se defendia nos primórdios. O que tem que ser feito com os ricos é fazê-los pagar os impostos que nos devem, proporcionalmente à fortuna que acumularam. Não é possível que gente bilionária pague os mesmos impostos que todo mundo. É claro que esse tipo de distorção precisa ser corrigido. Os ricos do Brasil pagam menos imposto até mesmo que os ricos de outros países. Quem você acha que está interessado em acabar com essa injustiça? Os capitalistas é que não.

Um lado hilário do capitalismo é que eles pregam a menor intervenção possível do Estado na economia, mas é só o sistema entrar em crise que os bancos recorrem ao Estado. Ou seja, o Estado só pode socorrer o capital financeiro, justamente quem precisa de menos ajuda, enquanto os pobres ficam à míngua... No socialismo em que acredito o Estado continuaria a ter um papel forte e as riquezas do país continuariam a ser públicas. Para quê privatizar empresas públicas que estão indo bem? Agora, é possível ser empresário e socialista? Por que não? Tudo depende da forma como você vê seu negócio, como trata seus empregados, o meio ambiente, e se seu único norte é acumular capital. Mais-valia obviamente continua sendo coisa de capitalista.

Não acho que o socialismo um dia vencerá e o capitalismo acabará. Infelizmente. Acredito mais numa convivência (não exatamente pacífica) entre capitalismo e socialismo. Uma hora um estará em cima e o outro embaixo, como o Yin e o Yang do taoismo. O socialismo surgiu no século XIX como oposição ao massacre que o capitalismo impingia aos trabalhadores, principalmente mulheres e crianças. O que seria do mundo se o socialismo não tivesse aparecido? As pessoas estariam trabalhando de 14 a 16 horas por dia e morrendo antes de chegar aos quarenta anos, de exaustão e doenças. A fome, a desigualdade e a miséria seriam muito maiores, porque os capitalistas são incapazes de enxergar falhas em seu sistema brutal. As modificações que vieram são resultado da luta dos socialistas. Se houvesse bons capitalistas, deveriam se sentir até gratos.

Assim como a noite chega após o dia e o dia chega após a noite, essa queda de braço nunca terá fim. Para desespero do capitalismo, ainda que não esteja em posição de mando, o socialismo sempre existirá como objeção às vilezas inerentes ao sistema que defendem. Ação e reação. Quem mais apontaria os defeitos do capitalismo senão o socialismo? Ocasionalmente, políticos socialistas ganharão o poder pelo voto em diversas partes do planeta — e cada vez que não se saírem bem no governo serão derrotados pelo capitalismo. O que não é exatamente negativo: é bom para o socialismo quando ele se submete à autocrítica, coisa que o capitalismo desconhece.

Ser socialista, para mim, não significa necessariamente estar ligado a um partido político que se diz socialista. Nem mesmo alcançar o poder, mas atuar como uma consciência coletiva ainda que fora dele, um contrapeso na busca por mais equilíbrio no mundo. Não é, portanto, um regime de governo, mas uma forma de ver o mundo oposta à sociedade de consumo que os capitalistas tanto endeusam. Oposta à exploração do homem pelo homem para obter lucro. Nenhum muro derrubado é capaz de modificar o fato de que existem injustiças no capitalismo. E, enquanto elas existirem, haverá uma força inversa defendendo que outro mundo é possível, sem se curvar e aceitar as crueldades do sistema como gado. Não somos gado. Rebelar-se contra as injustiças faz parte da natureza humana.

Não acredito em socialismo sem liberdade. Acho que socialismo e liberdade são sinônimos e a principal razão pela qual as experiências de socialismo real fracassaram foi a confusão que fizeram entre socialismo e falta de democracia — os homens, não a ideia em si. Um governo socialista teria, ao contrário, o máximo de participação popular, democracia direta. Acho que a "ditadura do proletariado" (na acepção que o termo ganhou popularmente, porque na teoria não há nada sobre cerceamento de liberdades, pelo contrário) é um conceito que está claramente datado, porque o mundo mostrou não gostar de ditaduras.

Por outro lado, adoro a revolta do proletariado. Acredito nela como força motora de mudanças na sociedade e como conscientizadora do lugar que ocupamos no mundo. De onde você vem? Você quer estar do lado de quem o oprimiu ou dos que foram oprimidos junto com você? A luta de classes, que fazem muitos torcerem o nariz como se fosse a causa da violência, é, na verdade, o que nos impulsiona para evoluir, ascender. A raiva que sinto por tão poucos terem tanto e tantos não terem nada é o que me faz sentir vontade de progredir e desejar que outros progridam. Nisso os capitalistas estão certos: a competição é algo natural. Deveriam entender que a luta de classes também é competição.

Meu socialismo é, digamos, zen. Vou colocando meu grãozinho de areia contra o capitalismo e assim vamos crescendo e ganhando batalhas. Não precisa ser de uma vez, como se pensou antes, pode ser aos pouquinhos. Quando disserem a você que o socialismo acabou, tenha a certeza de que fazem isso apenas para atirá-lo no conformismo. Porque sabem que socialistas não se conformam, não perdem a capacidade se indignar e não abandonam nunca a boa luta.

Teorias estapafúrdias da direita comunistofóbica

A situação é de um paradoxo brutal: de um lado, os direitistas brasileiros bradam que esquerda e direita "não existem mais"; por outro, tentam amedrontar os incautos com a ideia de que vivemos sob a iminente ameaça comunista. Desprezam o socialismo porque "fracassou", mas morrem de medo dele e afirmam que os "vermelhos" irão nos dominar a qualquer momento. O muro de Berlim caiu em 1989 e a União Soviética em 1991, mas os colunistas de alguns dos principais meios de comunicação do país não param de enxergar "bolcheviques" (!!!) por toda parte, como aquele espectro de que falou Karl Marx no Manifesto Comunista, 166 anos atrás.

Que água esse povo anda bebendo? Reuni cinco das mais absurdas teorias comunistofóbicas do Brasil e dos EUA. São tão assustadoras quanto a lenda do bicho papão, mas pelo menos rendem boas risadas.

1. Os Beatles eram comunistas

Em 1965 o pastor norte-americano David Noebel lançou o livro *Comunismo, Hipnotismo e Os Beatles* para divulgar sua teoria: os quatro rapazes de Liverpool na verdade integravam um plano da União Soviética para fazer lavagem cerebral na juventude. Letras mais inocentes e dançantes como *I wanna hold your hand* serviam para hipnotizar garotos e garotas e deixá-los mentalmente incapazes, para então seduzi-los com as ideias comunistas através de canções com óbvias intenções bolcheviques como *Back in the USSR*. Não, nossos colunistas não seriam capazes de pensar nada tão alucinado (e divertido).

Aliás, teve também quem achasse que a capa do disco Beatles *Yesterday and Today* (1966) promovia o aborto. "Os quatro usam jalecos brancos cobertos com carne e bebês decapitados. John aparenta satisfação. Paul está feliz, até mesmo deleitado. Ringo parece deprimido ('estou mesmo fazendo isso?') e George é a encarnação do mal."

2. Os Muppets são comunistas

Esta é mais recente. Em 2011, um apresentador do canal direitista Fox News levantou a hipótese de que o recém-lançado filme dos Muppets escondia uma "agenda esquerdista" subliminar. Isso porque o vilão era representado por um bem-sucedido homem de negócios, um magnata do petróleo chamado "Richman". Segundo o comentarista Dan Gainor, o filme estava deliberadamente fazendo lavagem cerebral nas crianças, "como acontece há décadas". "Onde nós estamos, na China comunista?", reclamou um dos convidados. "Eu gostaria que esses esquerdistas deixassem nossas crianças em paz!", protestou outra. *Mana Mana.*

3. Barack Obama é comunista

Hahahahahahahahahahahahahahahahaha. Ok, parei. Bem, uma das maiores "provas" de que o presidente dos Estados Unidos, Barack Obama, é comunista (hahahaha — desculpem, foi mais forte do que eu) é que se você digitar no Google o endereço da casa dele em Chicago aparece um número de telefone que, na verdade, pertence ao Partido pelo Socialismo e Libertação. Nossa, camarada Obama, você disfarçou muito bem ao criticar Raúl Castro em público no funeral de Mandela. Depois que anunciou que EUA e Cuba reatarão laços diplomáticos, o democrata virou até montagem em capa de revista de direita brasileira como se fosse Che Guevara. Qual será o próximo passo de Obama, o Vermelho? Estatizar o McDonald's?

4. Médicos cubanos são espiões comunistas

Essa chegou a virar "notícia" na revista mais vendida do Brasil, a *Veja*. Segundo a publicação, a importação de médicos cubanos pelo programa Mais Médicos iria inundar o país de espiões comunistas. A cada cinco médicos exportados, disse a revista, Cuba enviaria junto um espião do regime castrista. Ridículo, mas chamam isso de "jornalismo". O mais gozado é que a revista estacionou no tempo da guerra fria, mas costuma alcunhar "anacrônico" quem se define socialista.

A *Veja* não deu, mas o secretário-geral da ONU, Ban Ki-moon, elogiou a medicina cubana. "Quero saudar o sistema de saúde de Cuba, baseado na atenção primária à saúde, que já rendeu resultados excelentes. Este é um modelo para muitos países em todo o mundo", disse Ki-moon. Será o secretário-geral da ONU um espião norte-coreano disfarçado de sul-coreano? Esperemos ansiosamente novas "revelações" da revista dos Civita.

5. O Brasil está às vésperas de um golpe comunista

A história, na verdade, era uma piada, inspirada na comunistofobia que se alastra pelos meios de comunicação graças à "perspicácia" de nomes como Rodrigo "direita Miami" Constantino, Arnaldo "perigo vermelho" Jabor e um carinha do SBT do Paraná que disse que tem mais comunista no Brasil do que na China.

Inspirado por essa moçada paranoica que parou nos anos 1950, um estudante de dezenove anos resolveu criar uma página no Facebook com esse título, e conseguiu atrair mais de 30 mil pessoas. Só de onda, claro. Mas, por incrível que pareça, teve uma galera de direita que acreditou! E publicou A SÉRIO em um *site* que os comunistas irão mudar o nome de Brasília para Lulingrado assim que tomarem o poder. Sabem o que é pior? A página deles no Facebook é seguida por 127 mil pessoas. Essa gente raciocina? E quer governar o Brasil? Socorro.

Comunismo e capitalismo *FOR DUMMIES*

Como adora copiar tudo que vem dos Estados Unidos (sobretudo de Miami), a direita brasileira também macaqueou o discurso boboca do Tea Party para combater o socialismo. É incrível constatar que são as mesmas balelas aqui e lá — inclusive a tentativa de amedrontar a população contra o comunismo. Coisa de quem prefere repetir estultices sem raciocinar a ler e se informar.

O jornalista norte-americano Jesse Myerson, colaborador da *Rolling Stone* e assumidamente socialista (sim, também existem muitos na terra do tio Sam), publicou este texto no *blog* da revista *Salon* para tentar transmitir às pessoas noções básicas sobre o que o comunismo é e não é. E também para mostrar que o capitalismo, que a direita tanto gaba como "libertário", não é tão libertário assim. Myerson foi um dos líderes do Occupy Wall Street, em 2011, atuando como coordenador de mídia do movimento.

Eu traduzi e adaptei o texto ao português. Divirtam-se.

* * *

Porque você está equivocado sobre o comunismo

Sete grandes erros que as pessoas cometem sobre ele — e sobre o capitalismo

Por Jesse Myerson, na revista *Salon*

1. **Somente as economias comunistas se apoiam em violência de estado**

Obviamente, nenhum ricaço quer abrir mão de parte de sua fortuna, e qualquer tentativa de obter justiça econômica (como os impostos sobre grandes fortunas) sofrerá uma oposição ferrenha das classes mais altas. Mas a violência estatal (como a tributação) é inerente a todo conjunto de direitos sobre a propriedade que um governo pode adotar — inclusive aqueles que permitiram ao hipotético barão amealhar sua fortuna.

No capitalismo, as reivindicações de propriedade autorizam o estado a usar a violência para excluir todos, menos um reclamante. Se eu reivindico a mansão de alguém, por mais libertário que seja, ele vai recorrer ao governo e às suas armas para me colocar no devido lugar. Ele possui aquela mansão porque o estado diz que possui e tentará prender qualquer um que discorde. Se não houver um estado, quem tem o poder mais violento determina quem possui as coisas, seja a máfia ou um bando de *cowboys* no velho Oeste. Seja por vigilantes ou pelo estado, os direitos de propriedade se apoiam em violência.

Isto é verdadeiro para objetos pessoais e para a propriedade privada, mas é importante não confundi-los. Propriedade implica em ter um título. Quando marxistas falam em propriedade coletiva de terras ou meios de produção, estamos no campo das propriedades; quando apresentadores da Fox falam em confiscar minha gravata, estamos no campo dos objetos pessoais. O comunismo necessariamente distribui a propriedade universalmente, mas não quer tomar seu *smartphone*, falou?

2. As economias capitalistas são baseadas em livre comércio

O oposto do mito do "comunismo opressivo" é o "capitalismo libertador". A ideia de que estamos fazendo escolhas livres todo o tempo é claramente desmentida pela experiência de centenas de milhões de pessoas. A maioria de nós se encontra atrelada às pressões da competição. Estamos estressados, exaustos, sozinhos, em busca de significado para a vida — como se não estivéssemos no controle dela.

E não estamos; o mercado está. Se você não concorda, tente deixar "o mercado". A origem do capitalismo foi tirar de camponeses britânicos o acesso à terra e com isso seus meios de subsistência, fazendo-os dependentes do mercado para sobreviver. Uma vez sem propriedades, eles eram forçados a tomar o rumo da sujeira, bebida e doenças das cidades rodeadas de miséria para vender a única coisa que tinham — sua capacidade de usar cérebros e músculos para trabalhar — ou morrer. Como eles, a maioria das pessoas hoje é privada dos recursos que necessitam para prosperar, apesar de eles existirem em abundância, e é forçada a trabalhar para um chefe que está tentando ficar rico nos pagando menos e nos fazendo trabalhar mais.

Mas mesmo esse chefe (o aparente vencedor no "livre mercado") não é livre: o mercado impõe à classe proprietária o imperativo de acumular riqueza incansavelmente ou então fracassar. Os capitalistas são compelidos a apoiar regimes opressores e a arruinar o planeta por uma questão de negócios.

O tipo particular de capitalismo dos EUA demandou exterminar todo um continente de povos indígenas e escravizar milhões de africanos sequestrados. E toda a indústria capitalista só foi possível porque mulheres brancas, consideradas propriedades de seus pais e maridos, estiveram dedicadas ao papel invisível de criar filhos e arrumar a casa sem remuneração. Três brindes ao livre comércio.

3. O comunismo matou 110 milhões[1] de pessoas por resistir ao fim da propriedade privada

Greg Gutfeld, um dos apresentadores da Fox News, recentemente disse que "somente a ameaça de morte pode sustentar o sonho de esquerda, porque ninguém em sã consciência se alistaria voluntariamente em uma porcaria dessas. Portanto, 110 milhões de mortos". Ao dizer isso, Gutfeld e sua laia insultam o sofrimento de milhões de pessoas que morreram sob Stalin, Mao e outros ditadores comunistas do século XX. Pegar um número grande de mortos e atribuir suas mortes a algum abstrato "comunismo" não é uma maneira de mostrar preocupação humanista com vítimas de atentados aos direitos humanos.

Uma grande parcela das pessoas que morreram sob o comunismo soviético não eram os *kulaks* (camponeses ricos) com quem a direita quer se preocupar, mas eram, eles mesmos, comunistas. Stalin, na sua crueldade paranoica, não somente executou líderes revolucionários russos, mas também exterminou partidos comunistas inteiros. Essas pessoas não estavam resistindo a ter sua propriedade coletivizada; eles estavam comprometidos com a coletivização de propriedades. Também é bom lembrar que os soviéticos tiveram que lutar uma guerra revolucionária

[1] Este número é um total chute. (Nota da Autora)

— contra, entre outros, os EUA — que, como a revolução americana mostra, não se consiste majoritariamente em abraços grupais. Eles também enfrentaram (e historicamente derrotaram) os nazistas, que não estavam do outro lado do oceano, mas bem à sua porta.

Chega de URSS. O episódio mais horrível no comunismo oficial do século XX foi a Grande Fome Chinesa, cujas mortes são difíceis de precisar, mas certamente foram dezenas de milhões. Muitos fatores evidentemente contribuíram para essa atrocidade, mas o principal foi o "Grande Salto Adiante" de Mao, uma combinação desastrosa de pseudociência aplicada e perseguição política pensada para transformar a China em uma superpotência industrial num piscar de olhos. Os resultados da experiência foram extremamente cruéis, mas dizer que as vítimas morreram porque, em sã consciência, não quiseram ser voluntários de um "sonho de esquerda", é ridículo. A fome não é um problema unicamente da esquerda.

4. Governos capitalistas não cometem atentados aos direitos humanos

Seja qual for a avaliação dos crimes cometidos pelos líderes comunistas, não é esperto por parte dos fãs do capitalismo brincar de contar corpos, porque, se pessoas como eu têm de explicar os *gulags* e a Campanha das Quatro Pragas, eles precisam explicar o comércio de escravos, o extermínio indígena, os holocaustos do fim da era vitoriana e toda guerra, genocídio e massacres promovidos pelos EUA no esforço de combater o comunismo. Já que os pró-capitalistas se preocupam tão profundamente com o sofrimento das massas russas e chinesas, talvez queiram explicar as milhões de mortes resultantes da transição desses países ao capitalismo.

Deveria ser fácil perceber que o capitalismo, que glorifica o rápido crescimento em meio à competição cruel, iria produzir grandes atos de violência e privação, mas de alguma forma seus defensores estão convencidos de que ele é sempre, e em toda parte, uma força impulsionadora da justiça e da liberdade. Deixe-os convencer as dezenas de milhões de pessoas que morrem de desnutrição todo ano porque o livre mercado é incapaz de solucionar uma situação em que metade da comida do mundo é jogada fora.

As 100 milhões de mortes que talvez sejam mais importantes de enfocar agora são aquelas que a organização humanitária DARA projeta que irão ocorrer por causa do clima entre 2012 e 2030. Outras 100 milhões de pessoas mais irão se seguir a essas e não vão levar dezoito anos para morrer. Fome como a espécie humana nunca viu está nos rondando, porque o livre mercado não regula o carbono e as empresas capitalistas de petróleo, desde o colapso da URSS, se tornaram soberanas. Os mais virulentos anticomunistas têm uma forma muito útil, embora moralmente vergonhosa, de tratar esse evento de extinção em massa: eles negam que esteja acontecendo.

5. O comunismo americano do século XXI iria se assemelhar aos horrores soviéticos e chineses

Antes de suas revoluções, a Rússia e a China eram sociedades agrícolas pré-industriais, com maioria analfabeta, e cujas massas eram camponeses espalhados sobre enormes vastidões de terra. Nos EUA de hoje, robôs fazem robôs, e menos de 2% da população trabalha na agricultura. Estes dois estados de coisas são enormemente díspares. A mera evocação do passado não tem valor como argumento sobre o futuro da economia americana.

Para mim, comunismo é uma aspiração, não algo imediatamente conquistável. Isto, como a democracia e o libertarianismo, é utópico porque envolve um ideal, neste caso a não propriedade de tudo e o tratamento de tudo — incluindo cultura, tempo das pessoas, o mero ato de cuidar, e coisas assim — de forma digna e intrinsecamente valorizada, em vez do tratamento como mercadorias que podem ser postas à venda. Etapas para esta condição não necessariamente incluem algo tão assustador quanto a completa e imediata abolição dos mercados (afinal, os mercados antecedem o capitalismo em vários milênios e comunistas adoram um bom mercado direto do produtor). Pelo contrário, eu defendo que podem até incluir reformas com o apoio obtido entre partidos divergentes ideologicamente.

Dados os avanços tecnológicos, materiais e sociais do último século, podemos esperar uma aproximação ao comunismo, aqui e agora, muito mais aberta, humana, democrática, participativa e igualitária do que as tentativas da Rússia e da China. Acho até que seria mais fácil atualmente do que antes construir o conjunto de relações sociais baseado em companheirismo e ajuda mútua (à diferença do capitalismo, que se caracteriza por competição e exclusão), que seria necessário para permitir o eventual "definhamento do estado" que os libertários cultuam, sem reproduzir a Idade Média (só que desta vez com drones e metadados).

6. O comunismo promove a uniformização

Aparentemente, um monte de gente é incapaz de distinguir igualdade de homogeneidade. Talvez isso derive da tendência das pessoas em sociedades capitalistas de se enxergar primordialmente como consumidores: a fantasia distópica é um supermercado onde uma marca de comida fabricada pelo estado está em todos os itens, e todos eles possuem embalagens vermelhas e letras amarelas.

Mas as pessoas fazem muito mais do que consumir. Uma coisa que fazemos excessivamente é trabalhar (ou, para milhões de americanos desempregados, tentar e não conseguir). O comunismo prevê um tempo além do trabalho em que as pessoas são livres, como escreveu Marx, "para fazer uma coisa hoje e outra amanhã, caçar de manhã, pescar à tarde, cuidar do gado à noitinha, criticar depois do jantar... Sem nunca se tornar caçador, pescador pastor ou crítico". Deste modo, o comunismo é baseado no oposto da uniformização: uma diversidade enorme não só entre as pessoas, mas até na "ocupação" de uma única pessoa.

Muitos grandes artistas e escritores que foram marxistas sugerem que a produção de cultura em uma sociedade como essa poderia alimentar uma tremenda individualidade e oferecer formas de expressão superiores. Esses artistas e escritores pensavam o comunismo como "uma associação em que o livre desenvolvimento de cada um é a condição para o livre desenvolvimento de todos", mas você pode querer considerá-lo como uma instância real do acesso universal à vida, à liberdade e à busca da felicidade.

Você nem vai ligar para os pacotes vermelhos com letras amarelas!

7. **O capitalismo promove a individualidade**

Em vez de permitir que todas as pessoas sigam seu espírito empreendedor em busca de desafios que as realizem, o capitalismo aplaude o pequeno número de empresários que conquistam largas fatias dos mercados de massa. Isso requer produzir coisas em escala, o que induz a uma dupla uniformização da sociedade: toneladas e toneladas de pessoas que compram os mesmos produtos e toneladas e toneladas de pessoas que fazem o mesmo trabalho. Uma individualidade que viceja dentro deste sistema é muitas vezes extremamente superficial.

Você já viu os condomínios construídos no país? Viu os cubículos cinza, banhados em luz fluorescente, em prédios de escritório tão semelhantes entre si que deixam a gente desorientado? Já viram as lojinhas e as áreas de serviço e os seriados da TV? A possibilidade de adquirir produtos de firmas capitalistas concorrentes não produziu uma sociedade interessante e variada.

Em realidade, a maior parte da arte surgida sob o capitalismo veio de gente que foi oprimida e marginalizada (exemplos: *blues, jazz, rock and roll* e *hip-hop*). E então, graças ao capitalismo, é homogeneizada, comercializada e explorada em todo o seu valor por "empreendedores" sentados no topo da pilha, acariciando a pança e admirando a si mesmos por fazer todos abaixo deles acreditarem que somos livres.

Futebol é coisa de comunista

Não, não sou eu quem está dizendo isso: é a amalucada direita norte-americana, eterna fonte de inspiração da direita tupiniquim e de risadas para nós. Mais de vinte anos após a queda do muro de Berlim, parece não haver fim para a paranoia anticomunista nos Estados Unidos, e o futebol não poderia ficar de fora — sinal de que o velho e bom socialismo ainda incomoda muita gente, até na maior nação capitalista do planeta.

Os direitistas gringos apontam inclusive a razão pela qual o esporte não faz sucesso nos EUA, ao contrário do mundo inteiro: porque *soccer* é praticamente sinônimo de socialismo! E você que achava que aquela grana toda que ganha o Neymar era puro capitalismo... Sigam o "raciocínio":

- Futebol é um esporte coletivo e todos no time são estimulados a agir como grupo, não como indivíduos. Ahá, típico!
- Futebol é o único esporte que é jogado com os pés em vez das mãos. (Não entendo bem qual a relação com o socialismo, mas OK.)
- Futebol é o único esporte com um grande número de torcedores proletários, que costumam destruir a propriedade privada quando seus times perdem. (O preconceito de classe não poderia faltar, claro.)
- Futebol é o único esporte que pode terminar sem vencedores e perdedores. Quer algo mais socialista do que isto?
- Por último: a taça FIFA é igualzinha ao Emmy, e todo mundo sabe que Hollywood é socialista. (ahn?)

Com Barack Obama no poder, diz essa gente, o futebol ganhará a América porque o presidente é... socialista. Sei.

Lamentavelmente, pelo menos para mim, essas histórias não passam de teoria da conspiração. Acredito que a paranoia tenha começado com a histórica partida entre Inglaterra e Hungria, em 25 de novembro de 1953, no estádio de Wembley, considerado o jogo do século: capitalistas *versus* comunistas. O comunismo, *ops*, a Hungria ganhou de 6 a 3, com dois gols do lendário Puskas. Meses depois, novamente os húngaros golearam os ingleses por 7 a 1, em Budapeste. Um baque que o império britânico levaria anos para digerir.

Mas dizer que o futebol é socialista em si, como faz o conservadorismo norte-americano, é uma bobagem sem tamanho se pensarmos na trajetória das duas Alemanhas, a Ocidental e a Oriental, no esporte. A capitalista sempre se saiu melhor no futebol, até porque os comunistas preferiam investir (tcharã!) em esportes individuais — para você ver como as teorias reaças não resistem a cinco minutos de pesquisa. As diferenças políticas, porém, resultaram em belos duelos em campo também no futebol.

Fora da cortina de ferro, na verdade sempre houve atletas e treinadores simpatizantes do socialismo no futebol — reação natural, eu diria, diante da crescente mercantilização do esporte. Na mesma Inglaterra, o treinador Bill Shankly, que levou o Liverpool da segunda divisão para o tricampeonato nos anos 1970, era um socialista militante. "O socialismo em que eu acredito não é realmente política, é uma maneira de viver. É humanismo. Acho que a única maneira de viver e ter realmente sucesso é o esforço coletivo, com todo mundo trabalhando junto, se ajudando e compartilhando a recompensa no final. Assim eu vejo o futebol e assim eu vejo a vida", dizia Shankly. É ou não é para a reaçada viajar na maionese?

Outros nomes célebres do futebol também demonstraram simpatia pelas teses da esquerda. O argentino Diego Maradona, amigo de Fidel e Chávez, tatuou Che Guevara no braço e virou comentarista da Copa do Mundo para a venezuelana Telesur. O programa tem o sugestivo nome de *De Zurda* (de canhota) e Maradona já estreou atacando a cartolagem. "A FIFA leva 4 bilhões de dólares com a Copa. O país campeão fica com 35 milhões de dólares. Está errado isso. A multinacional está acabando com a bola. Você, Blatter, não faz nada e está rico. Não é como Bill Gates, que trabalha. Você não faz nada!" Um craque.

Sócrates e sua "democracia corintiana", nos anos 1980, deram a mais importante contribuição da esquerda ao futebol brasileiro, nos estertores da ditadura militar. Os atletas conseguiram que todas as decisões do clube fossem votadas pelo grupo, em uma espécie de autogestão inédita no futebol. O doutor costumava dizer: "Sou socialista e morrerei socialista". O punho cerrado na hora de comemorar mais um gol não era por acaso.

Não poderia esquecer o jornalista João Saldanha, militante do PCB (Partido Comunista Brasileiro) que foi demitido pelo general Emilio Médici do cargo de treinador da seleção que se sagraria tricampeã do mundo no México, em 1970. Autor de *Quem Derrubou João Saldanha*, o jornalista Carlos Vilarinho sustenta que o técnico, amigo de Carlos

Marighella, se transformara em um incômodo para o regime, e por isso foi defenestrado já com o time escalado. Segundo Vilarinho, só Pelé não o apoiou. Quem se surpreende?

A origem do nome e da camisa vermelha do Sport Club Internacional é controversa: a versão oficial é que se inspirou em um time de São Paulo chamado Internacional. Mas há quem assegure que é uma homenagem à Internacional Socialista, e a escolha do vermelho para a camiseta não seria à toa. Fato é que alguns torcedores do time gaúcho costumam desfraldar no Beira-Rio uma versão da bandeira do Inter com a foice e o martelo.

A proliferação de torcidas fascistas na Itália (como a do Lazio), fez com que o país se tornasse pródigo em estrelas vermelhas do futebol, naturalmente antifascistas. Jogador do Perugia, Paolo Sollier se tornou famoso pelo livro *Calci e sputi e colpi di testa*, publicado em 1976, em que fala sobre sua militância na Vanguarda Operária e do futebol, sob um ponto de vista de esquerda. Sua saudação com o punho cerrado lhe rendeu a antipatia de torcedores do próprio time. "Encontrei poucos jogadores para falar de política. Dos grandes daquela época (*anos 1970*), só Gianni Rivera (*do Milan, hoje deputado*) mostrou interesse: sua atividade pós-futebol confirma que tinha uma boa cabeça. Dos outros, nenhuma notícia."

Cristiano Lucarelli, chamado de "o goleador dos humildes", também fã de Che Guevara como Maradona, surgiu no Perugia e atuou no Livorno, cidade e time com tradição comunista: lá nasceu o PCI, o Partido Comunista Italiano. Lucarelli, filho de estivador e militante de esquerda, cresceu treinando futebol durante o dia e lendo o Manifesto Comunista à noite. Em 1997, foi banido da seleção italiana sub-21 por mostrar uma camiseta do Che por baixo do uniforme ao comemorar um gol. Em 2003, recusou convites milionários para jogar no Livorno. "Para alguns, ser milionário, comprar uma Ferrari, um iate é um sonho. Para mim o melhor da vida seria jogar em Livorno", disse. Olé.

Recentemente, a animada torcida do pequeno Omonoia, do Chipre, tem se destacado por suas manifestações pró-comunistas. De repente, não mais que de repente, brota uma foice e um martelo nas arquibancadas. Ah, se fosse nos Estados Unidos...

E não podemos esquecer a homenagem que o Madureira fez a Che Guevara, lançando camisetas do time com a estampa do guerrilheiro argentino. Em 1963, o Madureira foi o primeiro time brasileiro a visitar Cuba, e os jogadores foram recebidos pelo Che em pessoa. A camiseta foi a mais vendida da história do clube, provando que o socialismo é mesmo imbatível em estamparia.

Em resumo: sim, há comunistas no futebol, mas eles são, infelizmente, exceção, e não a regra. Se a teoria dos conservadores abilolados fosse correta, talvez o esporte não tivesse se distanciado tanto da "arte" para se tornar apenas uma mina de ouro, talvez não tivessem cometido tantas barbaridades para fazer a Copa no Brasil e talvez os atletas conseguissem concatenar melhor as ideias quando se trata de falar de política. Não é mesmo, Ronaldo?

10 perguntas que você sempre quis fazer sobre socialismo (mas deveria ter vergonha de perguntar)

Dada a imensa ignorância e falta de leitura sobre o socialismo que grassa nas redes sociais, resolvi fazer um rápido P&R (pergunta e resposta) sobre a ideologia que qualquer pessoa minimamente preocupada com a igualdade entre os seres humanos consegue entender — e amar.

1. Para ser socialista é preciso gostar do Taiguara ou da Mercedes Sosa?

No socialismo que sonhamos, o democrático, não tem essa de música obrigatória ou música proibida. Pode ouvir Chico Buarque, Taiguara ou Lobão, até porque somos contra a censura (ao contrário do que ocorria aqui na ditadura militar, o regime capitalista que a direita adora defender). Acreditamos no livre-arbítrio e na liberdade cognitiva e, por isso, muitos de nós também somos a favor da descriminalização de todas as drogas.

2. Se o socialismo vencer, terei que abrir mão do meu iPhone?

É o oposto: em um socialismo ideal, todas as pessoas teriam iPhone, não apenas as ricas. O socialismo, porém, prevê educar as pessoas para entender que o consumismo é ruim para o planeta e que é perfeitamente possível viver sem possuir tantas coisas. Pessoalmente, não tenho um iPhone ou smartphone e não sinto a menor falta. Mas me parece um comportamento totalitário exigir dos outros que pensem igual a mim.

3. Com o socialismo, o Brasil ficaria igual a Cuba, Coreia do Norte ou Venezuela?

Basta raciocinar um pouco para chegar à conclusão que é impossível um país ficar igual ao outro. Cada país tem sua história, suas características, seu povo. Dizer que o Brasil ficaria igual à Venezuela com o socialismo é o mesmo que dizer que os Estados Unidos são iguais ao Iraque, ao Japão ou à Indonésia, que também são países capitalistas. Quanto à Coreia do Norte, ninguém sabe exatamente que regime é aquele. Socialista é que não é.

4. O socialismo significa fim da democracia, como na União Soviética?

Experiências socialistas fracassadas não são sinônimos de socialismo. O socialismo é uma ideia, não um governo. A experiência socialista no Chile, por exemplo, foi bem diferente da cubana e da russa, primeiro porque não houve revolução; o socialista Salvador Allende chegou ao poder pelo voto. Existiam jornais e liberdade de imprensa — tanto é que foram eles que derrubaram Allende, com o apoio dos Estados Unidos. A sangrenta ditadura militar que veio a seguir, capitalista, fechou todos os jornais contrários ao regime, instaurou a censura, torturou e matou opositores. É preciso que se diga que, diferentemente dos capitalistas, os socialistas possuem autocrítica e aprendem com os erros do passado.

5. Com o socialismo haverá o fim da propriedade privada?

Muitos socialistas atuais, como eu, não acreditam em modelos implantados à força, como aconteceu no Camboja ou na China. Na verdade, mesmo na China (que só é chamada de "comunista" quando se fala de atentados aos direitos humanos) existe propriedade privada. No meu ponto de vista, o socialismo é, principalmente, uma maneira de tornar o capitalismo menos cruel e um caminho para uma sociedade menos desigual. Tanto é que, antes de o socialismo aparecer, as pessoas trabalhavam até dezoito horas por dia, inclusive mulheres e crianças. Não havia férias nem jornada de oito horas e por isso muitos morriam antes dos quarenta anos de idade.

6. O socialismo defende a intervenção do Estado na economia?

Sim. Achamos que deixar a economia nas mãos do mercado favorece as desigualdades, como, aliás, está ocorrendo atualmente entre os países mais desenvolvidos do mundo, onde o fosso social cresce cada vez mais — ao contrário dos países criticados como "bolivarianos" da América do Sul, onde a pobreza e a desigualdade diminuíram. O curioso é que os defensores do livre mercado e do "Estado mínimo" aceitam de forma bovina quando os bancos são socorridos pelo Estado com bilhões nos momentos de crise.

7. Com o socialismo os homens seriam massacrados pelas feministas?

O socialismo defende que homens e mulheres possuem direitos iguais. Ou seja, nenhum dos sexos está acima do outro. Atualmente, os homens ganham mais do que as mulheres ainda que ocupem o mesmo posto de trabalho e detêm a maioria dos cargos de mando. O socialismo não aceita essa disparidade.

8. A descriminalização do aborto é uma ideia socialista?

Os primeiros socialistas sempre defenderam o direito da mulher ao aborto como uma prática de saúde pública e como um direito feminino a decidir sobre o próprio corpo. No entanto, o aborto também é legalizado em países capitalistas como os Estados Unidos ou a Espanha. Na Venezuela o aborto é proibido e em Cuba, não. A legalização do aborto parece estar mais relacionada à maturidade de uma determinada sociedade do que à ideologia.

9. Todo mundo será obrigado a ser homossexual no socialismo?

Ao contrário: todo mundo poderá ser o que quiser, inclusive homossexual, sem ser xingado, ameaçado ou espancado por isso. Cuba, que os reaças adoram citar, já perseguiu homossexuais no passado, mas hoje a filha do presidente Raul Castro, Mariela, é uma das maiores personalidades mundiais em defesa dos direitos LGBTs. A cirurgia de mudança de sexo, por exemplo, pode ser feita gratuitamente na rede pública cubana.

10. Se o socialismo fracassou na União Soviética, por que seguir uma ideologia assim?

Porque enquanto houver miséria e desigualdades no mundo sempre haverá um socialista para criticar o sistema e sonhar com outro mundo possível, onde todos tenham o que comer, o que vestir e oportunidades verdadeiramente iguais. Quando vemos uma criança pedindo esmola, não fechamos o vidro do carro nem nos satisfazemos em dar uma moedinha para ela: não queremos caridade, queremos que o sistema melhore. Abra o olho: não existem capitalistas críticos do capitalismo. Quem aponta as crueldades do sistema somos nós, os socialistas. Na verdade, em vez de nos xingar, muitos deveriam nos agradecer por existir.

#BRASIL

Os muquiranas do conhecimento

A primeira vez que eu, menina do interior baiano, ouvi falar de Machu Picchu e da civilização inca foi num gibi do Tio Patinhas. O velho sovina de Walt Disney era incapaz de presentear Huguinho, Zezinho e Luizinho com um tablete de chocolate, mas não era avarento na hora de compartilhar informações ou de convidar os sobrinhos para suas viagens ao redor do mundo em busca de aventuras — e também de tesouros, claro.

Sempre que vejo a reação de alguns no Brasil à política de cotas lembro-me do Tio Patinhas. Para mim, ser contra as cotas raciais ou para estudantes das escolas públicas é ser um muquirana do conhecimento, um pão-duro do saber, um mão de vaca da cultura. Ao longo da vida, conheci muitas pessoas que se gabavam, com a boca cheia, de ter lido os clássicos, de conhecer várias línguas ou de possuir diversos diplomas, como se tratasse de um privilégio a que só os bem-aventurados, ungidos por Deus, teriam direito. Pessoas incapazes de repartir sabedoria até mesmo emprestando um livro.

Como se a cultura fosse um baú cheio de moedas de ouro ao qual os velhacos do conhecimento dormem abraçados para que não lhes escape pelos dedos um só níquel que seja, tal qual o Tio Patinhas com a sua "número um". O muquirana da cultura também costuma exibir sua moedinha: adora citar frases que pinçou das leituras que fez apenas para demonstrar a incrível erudição que "possui". Morre de ciúmes de "seus" autores prediletos. Para que ter a generosidade de apresentá-los para que mais gente os conheça, se pode guardá-los inteirinhos para si?

Eu tive a sorte de conviver com mestres que fizeram questão de dividir comigo todo o (pouco) conhecimento que haviam acumulado em suas vidas de professores de província, primeiro, e depois grandes figuras que conheci como jornalista. "Leia isto" — é uma frase singela, mas de uma generosidade sem tamanho, sobretudo se vem acompanhada da própria obra, num país onde os livros custam caro. Nunca pudemos comprar muitos livros em casa, não cresci com uma vasta biblioteca ao redor. Fui correndo atrás de minha formação ao longo da vida e por isso os mestres foram tão importantes, indicando caminhos.

O discurso que os avarentos da cultura no Brasil utilizam contra as cotas é tortuoso. Defendem, principalmente, que o ingresso dos oriundos da escola pública e dos afrodescendentes irá reduzir a "excelência", baixar o nível das universidades também públicas, que são as melhores — aquelas que eles próprios fazem questão de criticar, quando convém. Um argumento absolutamente falacioso, como se não fosse possível a qualquer estudante inteligente e aplicado, vindo de qualquer colégio, crescer junto com o ambiente em seu entorno. Ou "o homem é produto do meio" não serve para os mais carentes?

No fundo, os argumentos anticotas, além de evidenciarem um mal disfarçado preconceito de classe, não passam de desculpas de quem não quer admitir que não gostaria que o conhecimento fosse também democratizado, que fosse acessível a todos. A verdade é que os mesmos que torcem o nariz para a classe C, que viaja de avião, tampouco quer conviver com eles a seu lado na poltrona do teatro, do cinema — ou na universidade. Cultura é riqueza. Compartilhar cultura, saber, com os menos favorecidos, é sinônimo de compartilhar o poder com eles. É contra isso que os muquiranas do conhecimento não param de resmungar.

A volta do filho (de papai) pródigo ou a parábola do roqueiro burguês

Nem todo direitista é derrotista, mas todo derrotista é direitista. Reparem no capricho do léxico: as duas palavras são quase idênticas.

Ambas têm dez letras, soam similares e até rimam. Se você tem dúvida se alguém é de direita observe essas características. Começou a falar mal do Brasil e dos brasileiros, a demonstrar desprezo por tudo daqui, a comparar de forma depreciativa com outros países, é batata. Derrotista/direitista detectado.

Temos atualmente no Brasil duas personalidades célebres pelo derrotismo explícito e pelo direitismo não assumido: os roqueiros Lobão e Roger Moreira (do Ultraje a Rigor). Eu ia citar também Leo Jaime, outro direitoso do *rock* nacional, mas não posso classificá-lo como um derrotista típico — fora isso, no entanto, cabe perfeitamente no figurino que descreverei aqui. Os três são cinquentões.

Da geração dos anos 1980, Lobão sempre foi meu favorito. Eu simplesmente amo suas canções. Para mim, *Rádio blá*, *Vida bandida*, *Vida louca vida* e *Decadence avec elegance* são clássicos. Além de *Corações psicodélicos*, em parceria com Bernardo Vilhena e Julio Barroso, ai, ai... Adoro. E não é porque Lobão se transformou em um reacionário que vou deixar de gostar. Sim, Lobão virou um reaça no último. Alguém que voltasse agora de uma viagem longa ao exterior ia ficar de queixo caído: aquele personagem alucinado, torto, jeitão de poeta romântico, que ficou preso um ano por porte de drogas, se identifica hoje com a direita brasileira mais podre.

Não me importa que Lobão critique o PT ou qualquer outro partido. O que me entristece é ele ter se unido ao conservadorismo hidrófobo para perpetrar barbaridades como a frase, dita ano passado, em tom de pilhéria: "Há um excesso de vitimização na cultura brasileira. Essa tendência esquerdista vem da época da ditadura. Hoje, dão indenização a quem sequestrou embaixadores e crucificam os torturadores, que arrancaram umas unhazinhas". No twitter, se diverte esculhambando o país e os brasileiros, sempre nos colocando para baixo. "Antigamente éramos um país pobre e medíocre... terrível. Hoje em dia somos um país rico e medíocre... pior ainda", escreveu dia desses.

Os anos não foram mais generosos com Roger Moreira, do Ultraje. O cara que cantava músicas divertidíssimas como *Nós vamos invadir sua praia*, *Marylou* ou *Inútil* virou um coroa amargo que deplora o Brasil e vive reclamando de absolutamente tudo com a desculpa de ser "contra os corruptos". Os brasileiros, segundo Roger, são um "povo cego, ignorante, impotente e bunda-mole". Sofre de um complexo de vira-lata que beira o patológico. Ao ver a apresentação bacana dirigida por Daniela Thomas ao final das Olimpíadas de Londres, tuitou, vaticinando o desastre no Rio em 2016: "Começou o vexame". Não à toa, sua biografia na rede social é em inglês.

Muita gente se pergunta como é que isso aconteceu. O que faz um roqueiro virar reaça? No caso de ambos, a resposta é simples. Tanto Roger quanto Lobão são parte de um fenômeno muito comum: o sujeito burguês que, na juventude, se transforma em rebelde para contrariar a família. Mais tarde, com os primeiros cabelos brancos, começa a brotar também a vontade irresistível, inconsciente ou não, de voltar às origens. Aos poucos, o ex-*revoltadex* vai se metamorfoseando naqueles que criticava quando jovem artista. "Você culpa seus pais por tudo, isso é um absurdo. São crianças como você, é o que você vai ser quando você crescer" — Renato Russo, outro roqueiro dos anos 1980, já sabia.

O carioca Lobão, nascido João Luiz Woerdenbag Filho, descendente de holandeses e filhinho mimado da mamãe, estudou a vida toda em colégio de *playboy*, ele mesmo conta em sua biografia. O paulistano Roger estudou no Liceu Pasteur, na Universidade Mackenzie e nos EUA. Nada mais natural que, à medida que a ira juvenil foi arrefecendo — infelizmente junto com o vigor criativo — o lado burguês, muito mais genuíno, fosse se impondo. Até mesmo por uma estratégia de sobrevivência: se não estivessem causando polêmica com seu direitismo, será que ainda falaríamos de Roger e Lobão? Eu nunca mais ouvi nem sequer uma música nova vinda deles. O Ultraje, inclusive, se rendeu aos imbecis politicamente incorretos e virou a "banda do Jô" do programa de Danilo Gentili.

Enfim, incrível seria se Mano Brown ou Emicida, nascidos na periferia de São Paulo, se tornassem, aos cinquenta anos, uns reaças de marca maior. Pago para ver. Mas Lobão e Roger? Normal. O bom filho de papai à casa torna. A família deles, agora, deve estar orgulhosíssima.

Você sabe o que quer dizer "aperreado"?

"Estou aperreado."; "Não me aperreie, menino!" Quem, no Nordeste, nunca ouviu uma frase assim? Usar "aperreado", "aperreio", no sentido de estar chateado, incomodado, em uma situação difícil, faz parte do vocabulário corrente dos nordestinos. Mas de onde é que vem essa palavra, afinal?

Aperreado vem de *perro*, que, em espanhol, significa cachorro. *Aperreamiento* (aperreamento, em português), portanto, significa literalmente ser alvo de cães. A palavra surgiu da prática comum entre os conquistadores da América de atiçar cães ferozes contra os nativos para amedrontá-los e, em muitos casos, os devorar. Aperreado não é sinônimo de "agoniado", "aflito", mas de "dilacerado ou comido por cães". Não é chocante?

É incrível como um termo aparentemente inocente pode dizer tanto sobre a forma como nos ensinam a história. No passado, os conquistadores foram muitas vezes descritos como "valentes", "aventureiros", "audazes", "heroicos". E, mesmo quando as crueldades que eram capazes de fazer vieram à tona, os detalhes sórdidos foram omitidos. Um exemplo é o papel (horrendo) que tiveram os cães na conquista.

Tudo indica que os primeiros cães europeus que chegaram à América foram mastins, alanos e galgos espanhóis trazidos por Cristóvão Colombo em sua segunda viagem, em 1493. Até então, só havia cães esquimós e um tipo de cachorro tão manso que vários cronistas os chamavam de "o cão mudo". Conhecidos na língua náuatle como *techichi* ou *itzcuintli*, foram domesticados pelos índios como cães de companhia, sobretudo para as crianças. Eram encontrados em abundância em todo o México e América Central, mas, de carne saborosa, eram também comidos pelos espanhóis e nativos, e desapareceram.

Já os ibéricos tinham treinamento de cães de guerra. Utilizados para submeter os indígenas, aterrorizando-os psicológica e fisicamente, as feras eram capazes de, ao simples comando "pega!", estraçalhar com seus caninos gigantescos dezenas de índios de uma vez. Há cães que passaram à história por sua "bravura", eufemismo para ferocidade e dentes afiados: Becerrillo, Leoncillo, Amadis, Bruto.

Sobre Becerrillo, um alano descomunal, de pelo castanho, focinho escuro e enormes presas, reza a lenda que, certo dia, os espanhóis estavam a burlar-se de uma velha índia e colocaram-na sobre a ameaça do cão. A mulher, apavorada, dirigiu-se ao animal, que recebia até "pagamento", como um soldado mais: "Senhor cão, não me faça mal", teria dito a índia. O cachorro cheirou a velha, levantou a pata e urinou em cima dela — outras versões da história contam que a "lambeu" e também que a "devorou de um só bocado".

Apesar de estes relatos terem sido convenientemente deixados de lado na história que nos ensinam nos colégios, os cronistas da época são pródigos em descrições, principalmente Bartolomeu de las Casas (1474-1566). O frei dominicano espanhol, célebre por denunciar em suas obras o sadismo de seus compatriotas, que matavam velhos, adultos e crianças indígenas por diversão, traz alguns depoimentos revoltantes sobre o uso de cães no livro *Brevísima Relación de la Destrucción de las Indias*, de 1552. É de chorar:

> "Todos que podiam se escondiam nas montanhas e subiam às serras fugindo de homens tão desumanos, tão sem piedade, e tão ferozes bestas, extirpadores e inimigos capitais da linhagem humana. Ensinaram e amestraram galgos, cães bravíssimos, que, vendo um índio, o despedaçavam em um credo, e se arremetiam contra ele e o comiam como se fosse um porco. Esses cachorros fizeram grandes estragos e carnificinas."
>
> "Fizeram e cometeram grandes insultos e pecados, e acrescentaram muitas e grandíssimas crueldades mais, matando e queimando e assando e atiçando cachorros ferozes, e depois oprimindo e atormentando e explorando nas minas e em outros trabalhos, até consumir e acabar com todos aqueles infelizes inocentes."
>
> "Como andavam os tristes espanhóis com cães bravos buscando e *aperreando* os índios, mulheres e homens, uma índia enferma, vendo que não podia fugir dos cachorros para que não a fizessem pedaços como faziam aos outros, pegou um trapo e amarrou ao pé um menino que tinha, de um ano, e enforcou-se numa viga, e não o fez tão rápido que não chegassem os cães e despedaçassem a criança, mas antes que acabasse de morrer um frei o batizou."

"Indo certo espanhol com seus cães à caça de veados ou de coelhos, certo dia, não achando o que caçar, lhe pareceu que os cachorros tinham fome, e tirou um menino pequeno de sua mãe e com um punhal cortou-lhe em nacos os braços e as pernas, dando a cada cachorro a sua parte; e, depois de comidos aqueles pedaços, jogou todo o corpinho no solo a todos junto".

Horror: segundo de las Casas, os espanhóis mantinham inclusive uma espécie de açougue onde penduravam pedaços de índios para dar aos cachorros. Curioso é que os europeus de então se chocavam com a existência de canibais entre os índios da América…

"Já está dito que os espanhóis das Índias têm cães bravíssimos e ferocíssimos, adestrados e ensinados para matar e despedaçar os índios. Saibam todos que são verdadeiros cristãos, e ainda os que não são, se foi ouvida no mundo tal coisa, que para manter os ditos cães trazem muitos índios em correntes pelos caminhos, que andam como se fossem varas de porcos, e os matam, e têm açougue público de carne humana, e dizem uns aos outros: 'Me dê um quarto de um desses *bellacos* ("inúteis","canalhas", como se referiam aos índios) para dar de comer a meus cachorros até que eu mate outro', como se fossem quartos de porco ou de carneiro. Há outros que saem a caçar de manhã com seus cães, e voltando para comer, perguntados como foi, respondem: 'Foi bem, porque coisa de quinze ou vinte *bellacos* eu deixei mortos com meus cachorros.'"

Na América do Sul há menos relatos disponíveis sobre os aperreamentos, mas sabe-se que os cães foram usados contra os índios na Colômbia, Venezuela e Peru. No Brasil, fala-se de cães da raça fila utilizados na caça de escravos fugidos. Como será que a palavra "aperrear" entrou de forma tão forte no Nordeste? Ainda não sei, mas prometo descobrir. Desconfio que seja coisa dos bandeirantes, aqueles "heróis" paulistas.

Se eu pretendo que os nordestinos parem de falar que estão "aperreados" por causa dessa origem tão abjeta? Não, embora termos como "judiar" e "denegrir" sejam hoje vistos com reservas, pois trazem embutidos preconceitos de raça. Eu ficaria satisfeita se, ao ouvirem ou pronunciarem este termo, pelo menos viesse à memória das pessoas que milhares de índios foram mortos a dentadas para que "aperrear" entrasse em nossos dicionários.

O ódio insano a Lula, uma neurose a ser catalogada pela psicanálise

Em viagem a trabalho ao Rio, peguei um taxista muito simpático, que durante o trajeto expunha reclamações pertinentes sobre a falta de educação no trânsito de alguns motoristas, como por exemplo usar excessivamente a buzina. Também fazia comentários bacanas sobre a futura Copa do Mundo na cidade, uma raridade diante do pessimismo geral. "Será um sucesso, não tenho dúvida. Se houver algum problema os turistas vão estar tão felizes de estarem aqui que nem vão dar importância", disse.

Enfim, era alguém que parecia de bem com a vida. Até que... O assunto recaiu sobre o ex-presidente Luiz Inácio Lula da Silva. Tal qual dr. Jekyll ao tomar a poção, o taxista se transformou de homem cordial em uma pessoa absolutamente enfurecida, à beira de um ataque de nervos. "Ele é o cara mais rico do Brasil hoje, é um milionário, um ladrão!", vociferava. "Eu leio a revista *Veja*, eu vejo a Globo! Eu sei das coisas!" De nada adiantou nós lhe comunicarmos que integramos a imensa parcela da população que gosta de Lula. O homem não se acalmava, praticamente espumava pela boca.

No dia seguinte, já em Brasília, encontrei uma senhora muito fofa que também mostrou sua face menos afável ao falar de Lula. "Sabe, eu sou católica praticante. E quando vou me confessar, digo para o padre: 'Padre, eu odeio o Lula! Eu odeio o Lula! Não posso nem vê-lo na televisão que começo a passar mal, padre! O que devo fazer? Posso comungar mesmo assim?' E o padre sempre tenta me acalmar, responde que isso não é bom, que não é cristão, e me passa não sei quantas Ave-Marias e Pai-Nossos como penitência. Mas o que posso fazer? Eu odeio o Lula!!!" Confesso que achei hilário, meio bizarro.

Nas redes sociais, então, perdi a conta de quantas vezes tive minha página invadida por antilulistas fanáticos que não estão nem aí para as regras de boas maneiras na internet ou de respeito ao pensamento alheio. E não vou nem mencionar aqueles que desejaram a morte de Lula quando seu câncer foi revelado ao país. Insanidade a toda prova.

Entendo que o ex-presidente Lula, homem carismático que é, desperte amores e ódios. Entendo perfeitamente que muitas pessoas não gostem dele. Mas esse sentimento que vejo em alguns antiLula não me parece normal, mesmo porque a recíproca não é verdadeira. Nunca vi alguém ficar tão alterado ao falar do ex-presidente Fernando Henrique Cardoso. Bufando pelas ventas e gritando como se estivesse louco, perdendo completamente a noção do que pode ser dito sobre uma figura pública, cruzando todos os limites do desrespeito. Nunca vi, nunca. E olha que conheço bem mais gente que não gosta de FHC do que quem gosta.

Fiquei pensando: será natural o ódio a Lula? Ou será que isto acontece porque o ódio a Lula é estimulado pela mídia, e o ódio a FHC, não? Pelo contrário, a mídia tenta, com todo empenho e ao arrepio dos fatos e da memória coletiva, convencer os brasileiros de que o governo Lula foi péssimo, e o de FHC, ótimo. Obviamente não podemos esperar que as pessoas bufassem ao falar do tucano. Mas com Lula a neurose é alimentada, até porque existem odiadores insanos do petista dentro das próprias redações, sobretudo nas esferas mais altas. Um ódio patológico que, diferentemente do que ocorre com outras enfermidades mentais, é transmissível — via jornais, revistas e pela televisão. Curioso que seja Lula quem é acusado de "disseminar o ódio", embora nove entre dez colunistas dediquem a vida a falar mal dele.

Às vezes me dá vontade de, como nos filmes, sacudir uma pessoa dessas e falar para que se controle. É ofensivo com quem admira o presidente Lula (e somos maioria) que exista gente disposta a agredi-lo desta maneira ensandecida, típica de quem está com síndrome de abstinência de medicamentos para controle do humor. O que há com Lula para causar tal reação? Ou seria mais correto perguntar: o que há com estas pessoas para reagir dessa forma a um político? Seria só oposição ao ex-presidente ou é algo mais profundo, talvez inconfessável? Não sei dizer, essa neura só um psicanalista ou psiquiatra é capaz de resolver.

Tenho certeza que, um dia, um profissional da área irá catalogar, ao lado do transtorno obsessivo compulsivo, do transtorno bipolar e demais neuroses do mundo moderno, o "ódio insano a Lula". Sinceramente, se eu sentisse um só destes sintomas em relação ao ex-presidente — ou a qualquer outro personagem da política —, procuraria ajuda médica imediatamente. É doentio.

A.P.C./D.P.C.: ser politicamente correto ou troglodita, eis a questão

Virou modinha entre os reaças criticar o politicamente correto, como se fosse tolhedor da liberdade de expressão, censura disfarçada ou simplesmente coisa de gente chata. Associado ao pensamento de esquerda desde os seus primórdios, o conceito de "correção política" foi defendido na década de 1970 pelo movimento negro nos EUA, mas só ganharia força no mundo a partir dos anos 1980. Até então, não havia limites para a falta de educação e o desrespeito com o próximo: tudo era permitido.

Depois que o politicamente correto surgiu, passamos a ser menos cruéis, ficamos mais sensíveis às dores de nossos semelhantes e mais cuidadosos para não feri-los com palavras. Correção política não é sinônima de censura, mas de polidez, de boa educação, de respeito. Muitos dos que chamam o politicamente correto de chato, no entanto, aparentemente se esquecem (ou preferem esquecer) de como era antes. Eu relembro:

APC: pessoas com deficiência eram chamadas de aleijados, pernetas, manetas, cotós e outras expressões alusivas ao problema.

DPC: pessoas com deficiência são chamadas de pessoas com deficiência, deficientes ou de cadeirantes.

APC: pessoas com síndrome de Down eram chamadas de mongóis ou mongoloides.

DPC: pessoas com síndrome de Down são chamadas de pessoas com síndrome de Down.

APC: pessoas com deficiência mental eram chamadas de retardadas, abobalhadas, abestalhadas, debiloides.

DPC: pessoas com deficiência mental são chamadas de pessoas com deficiência intelectual.

APC: piadas racistas eram consideradas inofensivas e eram amplamente toleradas até mesmo na televisão e no cinema, e inclusive diante dos próprios negros. Piadas com deficientes, idem.

DPC: piadas racistas são consideradas ofensivas e causam constrangimento às pessoas em geral, particularmente entre os negros — em alguns casos, podem ser razão de processo. Igualmente entre os deficientes.

APC: em brigas no trânsito, era comum xingar o opositor com ofensas alusivas à sua orientação sexual ou a raça.

DPC: cenas assim já não são tão comuns (ou não deveriam ser), primeiro porque racismo é crime desde 1985, e a homofobia vai pelo mesmo caminho.

APC: brincadeiras, piadas e apelidos vinculados à orientação sexual alheia eram tolerados e estimulados nas relações sociais e mesmo no ambiente de trabalho.

DPC: brincadeiras, piadas e apelidos inspirados pela orientação sexual alheia são considerados ofensivos em qualquer ambiente.

APC: ser machista era considerado uma qualidade masculina, praticamente uma condição inerente ao homem heterossexual.

DPC: ser machista é considerado um defeito do homem, algo anacrônico e cafona.

APC: era considerado superengraçado tirar sarro da aparência das pessoas: gorda, magra, alta, baixa, tudo era razão para apontar o dedo e rir.

DPC: tirar sarro da aparência das pessoas não tem a menor graça e tem até nome: *bullying*.

APC: era normal chamar nordestinos de "baianos" (em SP) e "paraíbas" (no Rio), assim como associar comportamentos tolos ou de mau gosto a nordestinos: "coisa de baiano"; "coisa de paraíba". Algo semelhante ocorria no exterior: os espanhóis, por exemplo, chamavam pejorativamente os sul-americanos de "sudacas"; nos EUA, os latinos eram "cucarachas".

DPC: não é mais normal ser preconceituoso com nordestinos ou latino-americanos.

APC: éramos trogloditas.

DPC: evoluímos — muito embora alguns ainda prefiram continuar a ser trogloditas.

O perfeito imbecil politicamente incorreto

Em 1996, três jornalistas — entre eles o filho do Nobel de Literatura Mario Vargas Llosa, Álvaro — lançaram com estardalhaço o *Manual do Perfeito Idiota Latino-Americano*. Com suas críticas às ideias de esquerda, o livro se tornaria uma espécie de bíblia do pensamento conservador no continente. Vivia-se o auge do deus mercado e a obra tinha como alvo o pensamento de esquerda, o protecionismo econômico e a crença no estado como agente da justiça social. Quinze anos e duas crises econômicas mundiais depois, vemos quem de fato era o perfeito idiota.

Mas, quem diria, apesar de derrotado pela história, este manual continua sendo não só a única referência intelectual do conservadorismo latino-americano como gerou filhos. No Brasil, é aquele sujeito que se sente no direito de ir contra as ideias mais progressistas e civilizadas possíveis em nome de uma pretensa independência de opinião que, no fundo, disfarça sua real ideologia e as lacunas em sua formação. Como de fato a obra de Álvaro e companhia marcou época, até como homenagem vamos chamá-los de "perfeitos imbecis politicamente incorretos". Eles se dividem em três grupos:

1. O "pensador" imbecil politicamente incorreto: ataca líderes LGBTs (lésbicas, *gays*, bissexuais e transgêneros) e defende homofóbicos sob o pretexto de salvaguardar a liberdade de expressão. Ataca a política de cotas baseado na ideia que propaga de que não existe racismo no Brasil. Além disso, ações afirmativas seriam "privilégios" que não condizem com uma sociedade em que há "oportunidades iguais para todos". Defende

as posições da Igreja Católica contra a legalização do aborto e ignora as denúncias de pedofilia entre o clero. Adora chamar socialistas de "anacrônicos" e os guerrilheiros que lutaram contra a ditadura de "terroristas", mas apoia golpes de Estado "constitucionais". Um torturado? "Apenas um idiota que se deixou apanhar." Foge do debate de ideias como o diabo da cruz, optando por ridicularizar os adversários com apelidos tolos. Seu mote favorito é o combate à corrupção, mas os corruptos sempre estão do lado oposto ao seu. Prega o voto nulo para ocultar seu direitismo atávico. Em vez de se ocupar em escrever livros elogiando os próprios ídolos, prefere a fórmula dos guias que detonam os ídolos alheios — os de esquerda, claro. Sua principal característica é confundir inteligência com escrever e falar corretamente o português.

2. O comediante imbecil politicamente incorreto: sua visão de humor é a do *bullying*. Para ele não existe o humor físico de um Charles Chaplin ou Buster Keaton, ou o humor *nonsense* do Monty Python: o único humor possível é o que ri do próximo. Por "próximo", leia-se pobres, negros, feios, *gays*, desdentados, gordos, deficientes mentais, tudo em nome da "liberdade de fazer rir". Prega que não há limites para o humor, mas é uma falácia. O limite para esse tipo de comediante é o bolso: só é admoestado pelos empregadores quando incomoda quem tem dinheiro e pode processá-los. Não é à toa que seus personagens sempre estão no ônibus ou no metrô, nunca num 4x4. Ri do *office-boy* e da doméstica, jamais do patrão. Iguala a classe política por baixo e não tem nenhum respeito pelas instituições: o Congresso? "Melhor seria atear fogo." Diz-se defensor da democracia, mas adora repetir a "piada" de que sente saudades da ditadura. Sua principal característica é não ser engraçado.

3. O cidadão imbecil politicamente incorreto: não se sabe se é a causa ou o resultados dos dois anteriores, mas é, sem dúvida, o que dá mais tristeza entre os três. Sua visão de mundo pode ser resumida na frase "primeiro eu". Não lhe importa a desigualdade social, desde que ele esteja bem.

O pobre, para o cidadão imbecil, é, antes de tudo, um incompetente. Portanto, que mal haveria em rir dele? Com a mulher e o negro é a mesma coisa: quem ganha menos é porque não fez por merecer. Gordos e feios, então, era melhor que nem existissem... ha ha ha. Considera normal contar piadas racistas, principalmente diante de "amigos" negros, e fazer gozação com os subordinados, porque, afinal, é tudo brincadeira. É radicalmente contra o bolsa-família porque estimula uma "preguiça" que, segundo ele, todo pobre (sobretudo se for nordestino) possui correndo em seu sangue. Também é contrário a qualquer tipo de ação afirmativa: se a pessoa não conseguiu chegar lá, problema dela, não é ele que tem de "pagar o prejuízo". Sua principal característica é não possuir ideias além das que propagam os "pensadores" e os comediantes imbecis politicamente incorretos.

Freak show: as novas aberrações

Em 1932, o cineasta Tod Browning (1880-1962) causou escândalo em Hollywood ao lançar o filme *Freaks*, hoje um clássico. Para criticar um costume horrível da época, de exibir pessoas com deformidades em *shows* e circos, Browning escolheu um elenco de atores com vários problemas na vida real. Alguns tinham microcefalia, outro não tinha metade do corpo, um terceiro era um tronco, sem pés nem braços. O protagonista é anão. Eles se rebelam e acabam realizando uma vingança contra os seres humanos "normais" que os escravizavam. Hollywood não entendeu, a Inglaterra baniu o filme durante trinta anos e a brilhante carreira de Browning como diretor de filmes de terror como *Drácula* (1931) já era.

Felizmente os tempos de "feira de horrores" ficaram no passado. O que era considerado "aberração" já não é. Se houvesse um *show* de horrores hoje em dia não seria para rir de alguém com uma deficiência física ou mental, embora alguns pseudohumoristas brasileiros talvez desejassem, até porque atualmente as aberrações são outras. Nada a ver com anomalias congênitas, mas com deformidades de pensamento. Prodígios da natureza que a gente nunca podia imaginar que pudessem existir andam por aí assombrando o mundo.

Senhoras e senhores, alguns destes *freaks* do mundo moderno:

- **O jovem direitista:** é um espanto. Em vez do rapaz e da moça, que faziam de tudo para contrariar o conservadorismo dos pais, são jovens que concordam em tudo com o que eles pregam. "Sim, mamãe", repete o jovem direitista bem nascido. A não ser que os pais sejam moderninhos demais, aí eles preferem se mirar nos avós fãs da ditadura. Em sua visão, os governos militares foram uma época de prosperidade à qual o Brasil deve muito, e o desrespeito às liberdades individuais e aos direitos humanos, apenas um detalhe. Já os guerrilheiros que foram presos, torturados e que deram a vida para lutar contra a ditadura são terroristas sanguinários. Os bizarros jovens de direita são radicalmente contra a maconha, "coisa de vagabundo". Na faculdade, basta sentir o cheiro de um baseado que eles deduram para a polícia que circula pelo *campus* — sim, eles se mobilizaram para conseguir que o *campus*, antes um espaço de livre expressão, passasse a ser policiado. Os jovens direitistas estudam, é claro, Direito. E adoram ir à missa.

- **A mulher machista:** é assombrosa. Trata-se de uma mulher, geralmente jovem, que cospe em todas as realizações da liberação feminina. Acha, aliás, que não deve nada ao feminismo, pelo contrário. Defende que o feminismo é a razão de toda a "infelicidade" e "frustração" das mulheres de hoje. Por causa do feminismo, brada, se uma mulher optar por ser dona de casa será execrada! É muito triste, diz a mulher machista, não poder abdicar da profissão para cuidar da casa e dos filhos, pois se sentiriam constrangidas pelos olhares de reprovação das feministas, estas desalmadas, péssimas mães que não sabem nem fritar um ovo. Elas odeiam que uma mulher esteja na presidência, acham um desserviço, já que todo mundo sabe que os homens são superiores nestas tarefas. Lugar de mulher é sendo primeira-dama. Muito mais elegante, inclusive, tipo Jackie Kennedy. Mesmo porque todo mundo sabe que as feministas são todas horrorosas e nem se depilam, não é mesmo? Qualquer hora as mulheres machistas sairão em marcha pela aprovação da lei José da Penha, para reivindicar o direito de apanhar do marido.

- **O palhaço sem graça:** é de chorar. Eles sobem no picadeiro para supostamente serem engraçados, mas não conseguem causar nenhuma risada nem fazendo cosquinhas. A reação da plateia ao que eles falam beira à depressão. Quando o palhaço sem graça faz uma piada, tem gente que sente até vontade de vomitar. O formato favorito deles é o *stand up comedy*, uma fórmula norte-americana de fazer humor do qual copiaram o nome, não a criatividade. Mas há também palhaços de circo engomadinhos que se apresentam na tevê com o único objetivo de vender produtos para as crianças, com suas musiquinhas chatas e repetitivas. Ah, gente, fazer rir é tão século XX...

- **O roqueiro a favor do *status quo*:** é de arrepiar os cabelos. Acabou-se o tempo do roqueiro que criticava a burguesia e o sistema. Hoje a onda é falar bem de quem tem grana, um "vencedor", e elogiar a direita "progressista" — esta, sim, sabia o que era bom para o povo, este imbecil. O maior alvo do roqueiro reaça não é a estrutura social injusta ("injusta por quê? para quem?") ou as desigualdades, mas os esquerdistas, provocadores de ditaduras militares. Se fossem gravar músicas em vez de escrever manifestos de direita, como preferem, os roqueiros escreveriam letras como "você é pobre porque não trabalhou, uou, uou", "os milicos são gente malcompreendida, di-da, di-da", "saudades da ditadura, *yeah, yeah, yeah*", "a favor do *status quo quo quoooooo*". Não se espantem se qualquer dia começarem a gravar duetos com ídolos sertanejos em suas fazendas. O lado bom de terem surgido roqueiros assumidamente de direita é que não há mais lugar para os hipócritas que ganhavam dinheiro como rebeldes sem causa, com canções que nada tinham a ver com sua origem burguesa, às custas da rebeldia genuína alheia.

Venham, venham ver as aberrações! O espetáculo não tem hora para acabar.

Dom Pedro I, aquele do "independência ou morte", e a lei Maria da Penha

Existe uma versão muito difundida de que dom Pedro I, nosso imperador e "libertador" do Brasil, causou a morte de sua primeira mulher, Leopoldina, por espancamento. Em fevereiro de 2013, a exumação dos corpos de Pedro I e de suas mulheres desmentiu a hipótese levantada por vários historiadores de que Leopoldina tivesse tido inclusive um fêmur quebrado por ter caído de uma escada, mas há várias referências a maus-tratos na relação do imperador com a mulher.

Outra versão corrente para a morte precoce de Leopoldina, aos 28 anos, é a de lento envenenamento pelas mãos da marquesa de Santos, que havia sido levada pelo amante Pedro I a viver na Corte, para humilhação da imperatriz. Um "dom Juan dos trópicos", dom Pedro teve 16 filhos com várias mulheres além das esposas. A razão da morte de Leopoldina, em 1826, grávida do nono filho, continua um mistério. Não sabemos ao certo se dom Pedro I, o "herói" da independência, seria hoje enquadrado na lei Maria da Penha, em vez de celebrado.

Pagamos uma indenização de 2 milhões de libras à Inglaterra por ter nossa independência reconhecida por Portugal apenas três anos depois, em 1825. Ou seja, não bastassem os mais de três séculos de exploração, matança dos habitantes nativos, enriquecimento e vida mansa possível graças à escravidão de negros trazidos da África, ainda pagamos para nos "libertar".

Digo "libertar", digo "herói", digo "independência", assim, entre aspas, porque foi tudo *fake*. Para inglês ver (e receber grana). Não acredito nem que a frase "independência ou morte" tenha sido pronunciada. Para mim é obra de algum dos primeiros marqueteiros desta terra. Mas o pior mesmo é a forma como se celebra oficialmente a data desde que me entendo por gente.

Quase trinta anos após a volta da democracia ao país, e com uma ex-guerrilheira contra a ditadura na presidência da República, o principal evento do dia da pátria continua a ser um monte de políticos num palanque olhando militares desfilando. Tanques, tanques e mais tanques. O povo é mero coadjuvante de uma festa além de tudo cafona, afastado por grades da grande celebração verde-oliva. Este ano, então, com a possibilidade de protestos, o povo foi mantido a uma "distância segura" da própria comemoração. Ou não é do povo uma festa que se diz "cívica"?

O povo não participa do 7 de Setembro porque não se sente parte dele, nunca se sentiu. É como no célebre quadro de Pedro Américo: militares ao centro e o povo passivo ao redor. Exatamente como agora.

Amar o Brasil não é isso, é outra coisa. Queria algum dia ver protestos por outra festa da pátria, por outro tipo de celebração, com outros heróis. Dom Pedro I não me representa. Os tanques nas ruas não me representam. O 7 de Setembro não me representa.

Nos tempos do engavetador-geral: refrescando Henrique Cardoso

O que é mais vergonhoso para um presidente da República? Ter as ações de seu governo investigadas e os responsáveis, punidos, ou varrer tudo para debaixo do tapete? Eis a diferença entre Fernando Henrique Cardoso e Luiz Inácio Lula da Silva: durante o governo do primeiro, nenhuma denúncia — e foram muitas — foi investigada; ninguém foi punido. O segundo está tendo que cortar agora na própria carne por seus erros e de seu governo simplesmente porque deu autonomia aos órgãos de investigação, como a Polícia Federal e o Ministério Público. O que é mais republicano? Descobrir malfeitos ou encobri-los?

FHC, durante os oito anos de mandato, foi beneficiado, sim, ao contrário de Lula, pelo olhar condescendente dos órgãos públicos investigadores. Seu procurador-geral da República, Geraldo Brindeiro, era conhecido pela alcunha vexaminosa de "engavetador-geral da República". O caso mais gritante de corrupção do governo FHC, em tudo similar ao "mensalão", a compra de votos para a emenda da reeleição, nunca chegou ao Supremo Tribunal Federal nem seus responsáveis foram punidos, porque o procurador-geral simplesmente arquivou o caso. Arquivou! Um escândalo.

Durante a sabatina de recondução de Brindeiro ao cargo, em 2001, vários parlamentares questionaram as atitudes do engavetador, *ops*, procurador. A senadora Heloísa Helena, ainda no PT, citou um levantamento do próprio MP segundo o qual havia mais de 4 mil processos parados no gabinete do procurador-geral. Brindeiro foi questionado sobre o fato de ter sido preterido pelos colegas numa eleição feita para indicar ao presidente FHC quem deveria ser o procurador-geral da República.

Lula, não. Atendeu ao pedido dos procuradores de nomear Claudio Fonteles, primeiro colocado na lista tríplice feita pela classe, em 2003, e em 2005, ao escolher Antonio Fernando de Souza, autor da denúncia do mensalão. Detalhe: em 2007, mesmo após o procurador-geral fazer a denúncia, Lula reconduziu-o ao cargo. Na época, o presidente lembrou que escolheu procuradores nomeados por seus pares, e garantiu a Antonio Fernando: "Você pode ser chamado por mim para tomar café, mas nunca será procurado pelo presidente da República para pedir que engavete um processo contra quem quer que seja neste país". *E assim foi.*

Privatizações, Proer, Sivam... Pesquisem na internet. Nada, nenhum escândalo do governo FHC foi investigado. Nenhum. O pior: após o seu governo, o ex-presidente passou a ser tratado pela imprensa com condescendência tal que nenhum jornalista lhe faz perguntas sobre a impunidade em seu mandato. Novamente, pesquisem na internet: encontrem alguma entrevista em que FHC foi confrontado com o fato de a compra de votos à reeleição ter sido engavetada por seu procurador-geral. Depois pesquisem quantas vezes Lula teve de ouvir perguntas sobre o "mensalão". FHC, exatamente como Lula, disse que "não sabia" da compra de votos para a reeleição. Alguém questiona o príncipe?

O ministro Gilberto Carvalho, secretário-geral da presidência no primeiro governo Dilma, colocou o dedo na ferida: "Os órgãos todos de vigilância e fiscalização estão autorizados e com toda liberdade garantida pelo governo. Quero insistir nisso, não é uma autonomia que nasceu do nada, porque antes não havia essa autonomia, nos governos Fernando Henrique não havia autonomia, agora há autonomia, inclusive quando cortam na nossa própria carne", disse Carvalho. É verdade.

Imediatamente FHC foi acionado pelos jornais para rebater o ministro. "Tenho oitenta e um anos, mas tenho memória", disse o ex-presidente. Nenhum jornalista foi capaz de refrescar suas lembranças seletivas e falar do "engavetador-geral" e da compra de votos à reeleição. Pois eu refresco: nunca antes neste país se investigou tanto e com tanta independência. A ponto de o ministro da Justiça ser "acusado" de não ter sido informado da operação da PF que revirou a vida de uma mulher íntima do ex--presidente Lula. Imagina se isso iria acontecer na época de FHC e do seu engavetador-geral.

O erro do PT foi, fazendo diferente, agir igual.

#LiTERATURA

O poema que me fez virar à esquerda

O culpado por eu me ter me tornado, aos quinze anos, uma esquerdista, é um poema do dramaturgo e escritor alemão Bertolt Brecht (1898-1956). Vocês conseguem entender por quê?

Perguntas de um operário que lê

Quem construiu Tebas, a das sete portas?
Nos livros constam o nome dos reis,
Mas foram os reis que transportaram as pedras?
Babilônia, tantas vezes destruída,
Quem outras tantas a reconstruiu? Em que casas
Da Lima Dourada moravam seus obreiros?
No dia em que ficou pronta a Muralha da China para onde
Foram os seus pedreiros? A grande Roma
Está cheia de arcos de triunfo. Quem os ergueu? Sobre quem
Triunfaram os Césares? A tão cantada Bizâncio
Só tinha palácios
Para os seus habitantes? Até a legendária Atlântida
Na noite em que o mar a engoliu
Viu afogados gritar por seus escravos.

O jovem Alexandre conquistou as Índias
Sozinho?
César venceu os gauleses.
Nem sequer tinha um cozinheiro ao seu serviço?
Quando a sua armada afundou, Filipe de Espanha
Chorou. E ninguém mais?
Frederico II ganhou a guerra dos sete anos
Quem mais a ganhou?
Em cada página uma vitória.
Quem cozinhava os festins?
Em cada década um grande homem.
Quem pagava as despesas?
Tantos relatos
Quantas perguntas.

O homem que Vinicius amou

Louco pelas mulheres, Vinicius de Moraes também amou um homem e a ele dedicou sonetos e canções: o chileno Pablo Neruda. Os dois poetas se conheceram em julho de 1945, quando Neruda veio ao Brasil e fez contato com vários de nossos escritores. Segundo os especialistas na obra de Neruda, foi uma viagem importante na carreira do autor de *Vinte Poemas de Amor e Uma Canção Desesperada*, por ter sido o começo de seu reconhecimento fora do Chile, como escritor e intelectual comprometido.

Pablo Neruda declamou um poema para o Pacaembu lotado na homenagem ao líder comunista Luiz Carlos Prestes, experiência que descreveria assim em suas memórias, *Confesso que Vivi*: "aqueles aplausos tiveram profunda ressonância em minha poesia. Um poeta que lê seus versos diante de 130 mil pessoas não continua sendo o mesmo e nem pode escrever mais da mesma forma".

Em 1960, ele e Vinicius viajariam de navio de Montevidéu até a França, consolidando a amizade.

Escreveu Vinicius no livro *História Natural de Pablo Neruda*:

Minha vida, tua morte, nosso amor, nossa poesia.
Por acaso em 60 nos encontramos
Em Montevidéu e viajamos juntos de navio
Ocorreram poesias
Trocamo-nos sonetos de muito amor, amigo
Tu e eu escrevíamos nas tardes quietas
No convés vazio...

O livro foi uma homenagem do brasileiro ao chileno após sua morte, em 1973, apenas doze dias após o golpe que derrubou Salvador Allende. Saiu em edição artesanal pela Macunaíma, de Salvador, com apenas 300 exemplares, ilustrado com as xilogravuras de Calasans Neto. Em 2006, a Companhia das Letras relançou a obra, ainda disponível no catálogo da editora, com prefácio de Ferreira Gullar.

No volume que dedicou à viúva de Neruda, Matilde, Vinicius escreveu: "Com muito amor e dor". O livro também se transformaria num espetáculo com Toquinho e Quarteto em Cy, no Tuca, em São Paulo, no mesmo ano. Era uma época em que poetas não tinham pudores de se dedicar poemas mutuamente. Vinicius se derramava em amores por Pablo:

Soneto a Pablo Neruda

Quantos caminhos não fizemos juntos
Neruda, meu irmão, meu companheiro...
Mas este encontro súbito, entre muitos
Não foi ele o mais belo e verdadeiro?
Canto maior, canto menor — dois cantos
Fazem-se agora ouvir sob o Cruzeiro
E em seu recesso as cóleras e os prantos
Do homem chileno e do homem brasileiro
E o seu amor — o amor que hoje encontramos...
Por isso, ao se tocarem nossos ramos

Celebro-te ainda além, Cantor Geral
Porque como eu, bicho pesado, voas
Mas mais alto e melhor do céu entoas
Teu furioso canto material!

E a paixão do brasileiro era correspondida:

A Vinicius de Moraes

No dejaste deberes sin cumplir;
Tu tarea de amor fue la primera;
Jugaste con el mar como un delfin
Y perteneces a la primavera.
Cuanto pasado para no morir!
Y cada vez la vida que te espera!
Por tí Gabriela supo sonreír
(Me lo dijo mi muerta compañera).
No olvidaré que en esa travesía,
Llevavas de la mano a la alegria
Como tu hermano del país lejano.
Del pasado aprendiste a ser futuro
Y soy más joven porque, en un dia puro,
Yo vi nacer a Orpheu de tu mano.

Como diria outro poeta: "e quem há de negar que a amizade é superior ao amor?".

Breve consideração à margem do ano assassino de 1973

Que ano mais sem critério
Esse de setenta e três...
Levou para o cemitério
Três Pablos de uma só vez.
Três Pablões, não três pablinhos
No tempo como no espaço

Pablos de muitos caminhos:
Neruda, Casals, Picasso.
Três Pablos que se empenharam
Contra o fascismo espanhol
Três Pablos que muito amaram
Três Pablos cheios de Sol.
Um trio de imensos Pablos
Em gênio e demonstração
Feita de engenho, trabalho
Pincel, arco e escrita à mão.
Três publicíssimos Pablos
Picasso, Casals, Neruda
Três Pablos de muita agenda
Três Pablos de muita ajuda.
Três líderes cuja morte
O mundo inteiro sentiu.
Ôh ano triste e sem sorte:
— Vá pra puta que o pariu!

A tortura na poesia de Alex Polari: inventário de cicatrizes

Nascido em João Pessoa (PB) em 1951, Alex Polari de Alverga tinha vinte anos de idade e era membro da organização clandestina VPR (Vanguarda Popular Revolucionária), responsável pelo sequestro do embaixador alemão Ehrenfried von Holleben, quando caiu preso, no Rio. Barbaramente torturado, Alex testemunhou e escreveu da prisão uma carta à estilista Zuzu Angel onde narrava as atrocidades cometidas pelos militares contra seu filho, Stuart, militante do MR-8. Aos vinte e seis anos, em 1971, Stuart foi arrastado por um jeep pelo pátio interno da base aérea do Galeão com a boca no cano de descarga do veículo. Seu corpo nunca foi encontrado. Supõe-se que tenha sido jogado em alto-mar ou enterrado como indigente.

Alex Polari passaria seus vinte anos inteiramente na cadeia: condenado a oitenta anos de prisão, só foi libertado aos vinte e nove, em 1980, após a anistia. Dois anos antes, em 1978, publicou um livro, *Inventário de cicatrizes*, com os poemas que escreveu no cárcere. São versos duros, tristes, revoltantes, sobre a tortura nos porões da ditadura militar — um dos poemas é dedicado a Stuart Angel. Hoje, aos sessenta e três anos, Alex se dedica ao Santo Daime e é um dos líderes da Comunidade Céu do Mapiá, no Acre. "Vi companheiros desaparecerem no cárcere... mas não queria estender muito nisso. Porque hoje é uma coisa que vejo mais como uma experiência, não acho que é mais o cerne da questão", disse o "padrinho Alex" ao repórter Bruno Torturra, em 2012. "Dificilmente nós vamos achar uma solução para a crise planetária fora de uma revolução espiritual. Todas as outras formas de ler o mundo faliram no último século."

Conheci os poemas de Alex Polari sobre a tortura na adolescência. A leitura de "Os primeiros tempos da tortura" foi provavelmente o primeiro contato que tive na vida com os horrores da ditadura militar. Jamais esqueci esse poema. Aos cinquenta anos do golpe, ninguém se lembrou de reeditar o livro de Alex, que pode dizer tanto aos jovens sobre o que foi aquela era de trevas. Mais que qualquer recriação no cinema: está tudo ali, sangrado em forma de poesia.

Os primeiros tempos da tortura

Não era mole aqueles dias
de percorrer de capuz
a distância da cela
à câmara de tortura
e nela ser capaz de dar urros
tão feios como nunca ouvi.
Havia dias que as piruetas no pau de arara
pareciam rídiculas e humilhantes
e nus, ainda éramos capazes de corar
ante as piadas sádicas dos carrascos.
Havia dias em que todas as perspectivas
eram prá lá de negras

e todas as expectativas
se resumiam à esperança algo cética
de não tomar porradas nem choques elétricos.
Havia outros momentos
em que as horas se consumiam
à espera do ferrolho da porta que conduzia
às mãos dos especialistas
em nossa agonia.
Houve ainda períodos
em que a única preocupação possível
era ter papel higiênico
comer alguma coisa com algum talher
saber o nome do carcereiro de dia
ficar na expectativa da primeira visita
o que valia como um aval da vida
um carimbo de sobrevivente
e um *status* de prisioneiro político.
Depois a situação foi melhorando
e foi possível até sofrer
ter angústia, ler
amar, ter ciúmes
e todas essas outras bobagens amenas
que aí fora reputamos
como experiências cruciais.

Moral e Cívica II

Eu me lembro
usava calças curtas e ia ver as paradas
radiante de alegria.
Depois o tempo passou
eu caí em maio
mas em setembro tava pelaí
por esses quartéis

onde sempre havia solenidades cívicas
e o cara que me tinha torturado
horas antes,
o cara que me tinha dependurado
no pau de arara
injetado éter no meu saco
me enchido de porrada
e rodado prazeirosamente
a manivela do choque
tava lá — o filho da puta
segurando uma bandeira
e um monte de crianças,
emocionado feito o diabo
com o hino nacional.

* * *

Trilogia macabra: III — A parafernália da tortura

Nos instrumentos da tortura ainda subsistem, é verdade,
alguns resquícios medievais
como cavaletes, palmatórias, chicotes
que o moderno design
não conseguiu ainda amenizar
assim como a prepotência, chacotas
cacoetes e sorrisos
que também não mudaram muito.
Mas o restante é funcional
polido metálico
quase austero
algo moderno
com linhas arrojadas
digno de figurar
em um museu do futuro.

Portanto,
para o pesar dos velhos carrascos nostálgicos,
não é necessário mais rodas, trações,
fogo lento, azeite fervendo
e outras coisas
mais nojentas e chocantes.
Hoje faz-se sofrer a velha dor de sempre
hoje faz-se morrer a velha morte de sempre
com muito maior urbanidade,
sem precisar corar as pessoas bem-educadas,
sem proporcionar crises histéricas
nas damas da alta sociedade
sem arrefecer os instintos
desta baixa saciedade.

Canção para 'Paulo' (A Stuart Angel)

Eles costuraram tua boca
com o silêncio
e trespassaram teu corpo
com uma corrente.
Eles te arrastaram em um carro
e te encheram de gases,
eles cobriram teus gritos
com chacotas.
Um vento gelado soprava lá fora
e os gemidos tinham a cadência
dos passos dos sentinelas no pátio.
Nele, os sentimentos não tinham eco
nele, as baionetas eram de aço
nele, os sentimentos e as baionetas
se calaram.
Um sentido totalmente diferente de existir
se descobre ali,

naquela sala.
Um sentido totalmente diferente de morrer
se morre ali,
naquela vala.
Eles queimaram nossa carne com os fios
e ligaram nosso destino à mesma eletricidade.
Igualmente vimos nossos rostos invertidos
e eu testemunhei quando levaram teu corpo
envolto em um tapete.
Então houve o percurso sem volta
houve a chuva que não molhou
a noite que não era escura
o tempo que não era tempo
o amor que não era mais amor
a coisa que não era mais coisa nenhuma.
Entregue a perplexidades como estas,
meus cabelos foram se embranquecendo
e os dias foram se passando.

Bentinho, o primeiro coxinha da história

Rapazola, Bento Santiago, o Bentinho, ganhou de um conhecido, no trem da central, o apelido de dom Casmurro, por ser homem calado, metido consigo mesmo e possuir "fumos de fidalgo". Atualmente, teria sido apelidado de "coxinha". Coxinha, para quem não sabe, é o novo "mauricinho", sujeito jovem com hábitos, trajes e pensamentos antiquados. Aquele cara que, nos tempos dos nossos pais, era chamado de "almofadinha".

Criado pelo tio, pela mãe e pela prima dela, todos de cônjuge falecido, Bentinho cresce superprotegido na "casa dos três viúvos". Um agregado, José Dias, completa o círculo de opressão em torno do guri. Não, não é bom criar filhos assim... Como o primogênito lhe nasceu morto, sua mãe, carola, faz promessa a Deus que, se o próximo vingar, irá metê-lo na igreja.

O menino cresce neste ambiente devoto e austero, tendo como diversão ir à missa. Lá, a mãe não parava de lhe dizer "que reparasse no padre, não tirasse os olhos do padre".

Em casa, gostava também de brincar de missa, e o padre amigo da família atesta sua vocação: seus brinquedos "sempre foram de igreja", e que "adorava os ofícios divinos". Se já existisse Opus Dei, o pobrezinho certamente brincaria de ser seu fundador. De forma que, aos quinze anos, o coxinha, *ops*, Bentinho acaba mesmo sendo enviado ao seminário. Fico pensando se, a exemplo de tantos coxinhas mundo afora, não teria outro destino se tivesse tido a coragem de desobedecer à mãe. O momento era ideal: na flor da adolescência, começava a se meter pelos cantos, aos beijos furtivos com a travessa e sedutora Capitu, e a descumprir as próprias promessas de rezar Padres-Nossos e Ave-Marias às centenas.

Pelo contrário, Bentinho não só obedeceu bovinamente à genitora como deu ouvidos às intrigas do agregado José Dias de que a amada tinha olhos oblíquos e dissimulados de cigana. Palavras que iriam persegui-lo pelo resto da vida. Fraco, incapaz de decidir por conta própria, só escapa do destino de virar padre graças à interferência de amigos e forma-se, claro, bacharel em Direito. Não vou nem mencionar a mal resolvida relação homoerótica que Bentinho teve com o amigo Escobar, de quem suspeitou anos a fio ser o pai do filho que teria com Capitu, sem qualquer prova que sustentasse a paranoia.

Avarento, apesar de rico, Bentinho chega a lamentar ter que gastar dinheiro para manter os estudos do rapaz após a morte de Capitu. E revela-se insensível ao ponto de jantar e ir ao teatro no mesmo dia em que é informado da morte prematura de Ezequiel, o filho que rejeitou. Típico filhinho da mamãe, machista, egoísta e cruel, foi incapaz de um único gesto de arrependimento ou de dúvida para com a única mulher que amou — além da mãe.

E política? Ora, como muitos coxinhas, Bentinho dizia-se apolítico, embora conservador de berço. Fosse hoje em dia e ele, uma pessoa de carne e osso, não um personagem de Machado de Assis, com certeza estaria engrossando as fileiras da "nova" direita brasileira.

O bolinho de maconha de Alice B.Toklas

As norte-americanas Gertrude Stein (1874-1946) e Alice B.Toklas (1877--1967) formavam o casal mais querido da Paris dos anos 1930. Os jantares de sábado à noite em sua casa na rue de Fleurus 27 tinham convidados como Pablo Picasso (que pintou um célebre quadro de Gertrude), Ernest Hemingway, Jean Cocteau, Ezra Pound, Paul Bowles, Apollinaire... O sonho de qualquer fã de arte e literatura era ter estado lá — o diretor Woody Allen concretizou em seu filme *Meia-Noite em Paris*, de 2011.

O livro mais conhecido de Gertrude acabou sendo a *A autobiografia de Alice B.Toklas* (1954), onde ela reconta os vinte e cinco anos de vida em comum com Alice tendo como narradora não a si mesma, mas a companheira. A própria Alice ficaria famosa anos após a morte de Gertrude, ao lançar um misto de livro de receitas com memórias. *O livro de cozinha de Alice B.Toklas*, atualmente encontrável apenas em sebos no Brasil, é uma obra para se ler degustando receita por receita, mesmo sem executá-las, porque cada uma delas contém uma história igualmente saborosa.

As vantagens dos norte-americanos diante dos franceses na cozinha, e vice-versa; o robalo que Alice decorou para Picasso e a ele lhe pareceu feito em homenagem a Matisse; o preparo de uma carpa recheada com castanhas para o almoço que ganha ares de romance de Agatha Christie.

"Uma faca afiada pesada me veio à ideia como a escolha clássica, perfeita, de modo que, agarrando com minha mão esquerda a mandíbula inferior da carpa, bem coberta por um pano de prato, já que os dentes poderiam ser afiados, e a faca na direita, cuidadosamente, deliberadamente achei a base de sua coluna vertebral e aí mergulhei a faca. Em seguida, larguei-a para ver o que tinha acontecido. Horror dos horrores. A carpa estava morta, matada, assassinada em primeiro, segundo e terceiro graus. Mole, caí numa cadeira; com as mãos ainda por lavar peguei um cigarro, acendi-o e esperei a polícia chegar e me levar presa. Depois de um segundo cigarro minha coragem voltou e eu fui preparar a dona Carpa para a mesa."

Mas a receita que causaria sensação não era de Alice, mas de um amigo, Brion Gysin, e, reza a lenda, teria sido incluída no livro por engano: um *fudge* de haxixe, que na verdade é um bolinho, quase uma paçoquinha, feita de maconha. O puritanismo norte-americano excluiu o acepipe da primeira edição, mas a receita aparece na reimpressão de 1960, quando cai no gosto da geração *hippie* e inspira até um filme de Peter Sellers em 1968, *I love you, Alice B.Toklas* (aqui no Brasil, *O Abilolado Endoidou*). No filme, o bolinho vira um *brownie* que será comido sem querer pelos pais do protagonista, um advogado careta que arranja uma namorada riponga.

Quase sessenta anos depois de lançado o livro, a receita transgressora ainda tem o poder de chocar alguns. Que cozinheiro famoso brasileiro se atreveria a falar de bolinho de maconha em um livro de receitas? Não sei se funciona (como cozinheira, acho que leva açúcar demais), mas o texto de Alice é divertidíssimo. Confira.

* * *

Fudge de haxixe

(que qualquer um pode fazer num dia de chuva)

Essa é a comida do paraíso — dos paraísos artificiais de Baudelaire; pode constituir uma merenda interessante em reuniões do Clube de Bridge de Senhoras ou num encontro do DAR (instituição de caridade). Em Marrocos, é tido como eficaz para evitar resfriado durante o inverno úmido e funcionaria mais se tomado com grande quantidade de chá de hortelã quente. Euforia e brilhantes cascatas de risos; devaneios extáticos e extensões de personalidade em vários planos simultâneos devem ser esperados com complacência. Praticamente qualquer coisa que santa Teresa fez, você pode fazer melhor, se puder ser arrebatado por *un evanouissement reveille*.

Tome de uma colher (chá) de pimenta-do-reino preta, uma noz-moscada inteira, quatro paus de canela médios, uma colher (chá) de coentro. Esses deverão ser todos pulverizados num pilão. Cerca de um punhado de cada, de tâmaras sem caroços, figos secos, amêndoas descascadas e amendoins: pique e misture-os. Um maço de *cannabis sativa* pode ser pulverizado. Isso e as especiarias devem ser polvilhados em cima das frutas secas e nozes e trabalhados juntos. Cerca de uma xícara de açúcar dissolvido em uma rodela de manteiga. Aberto como para um bolo e cortado em pedaços ou enrolados em bolas do tamanho de uma noz, deve ser comido com cuidado. Dois pedaços são mais que suficientes.

Obter a *cannabis* pode apresentar algumas dificuldades, mas a variedade conhecida como *cannabis sativa* cresce como mato, frequentemente sem ser reconhecida, por toda parte na Europa, Ásia e partes da África; além de ser cultivada para a manufatura de cordas. Na América, se bem que desencorajada, sua prima, chamada *cannabis indica*, tem sido observada até em floreiras de janelas urbanas. Deve ser colhida e seca assim que der sementes e enquanto a planta ainda estiver verde.

Carolina Maria de Jesus: 100 anos da autora do clássico *Quarto de despejo*

Não digam que fui rebotalho,
que vivi à margem da vida.
Digam que eu procurava trabalho,
mas fui sempre preterida.
Digam ao povo brasileiro
que meu sonho era ser escritora,
mas eu não tinha dinheiro
para pagar uma editora.

Em 1958 o repórter Audálio Dantas estava na favela do Canindé, em São Paulo, preparando uma reportagem sobre um parque infantil para o extinto jornal *Folha da Noite*, quando se deparou com uma mulher negra de quarenta e três anos que gritava: "Onde já se viu uma coisa dessas, uns homens grandes tomando brinquedo de criança! Deixe estar que eu vou botar vocês todos no meu livro!". Curioso, como todo bom jornalista, Audálio foi atrás dela e descobriu uma escritora: Carolina Maria de Jesus, que ficaria conhecida mundialmente por *Quarto de despejo*, um clássico de nossa literatura, traduzido em treze idiomas.

Lançado em 1960, o livro venderia mais de 80 mil exemplares no Brasil, um best-seller até para os padrões de leitura de hoje em dia. Nele, Carolina fazia um diário de sua vida desde que deixara Sacramento, em Minas, aos dezessete anos, para ir morar em São Paulo, onde trabalhou como empregada doméstica e, quando Audálio a encontrou, como catadora de papel. O título veio de uma frase de Carolina: "A favela é o quarto de despejo da cidade". A escritora favelada é, de certa forma, precursora de nomes recentes de nossa literatura que vieram da periferia das grandes cidades, como Paulo Lins (*Cidade de Deus*) e Ferréz (*Capão pecado*).

"Carolina é uma escritora fundamental para entender a literatura brasileira, que é feita, em sua grande maioria, de autores brancos de classe média que dominavam a língua formal. Ela mostra a outra face dessa história, que passa a ser vista do ponto de vista dela, de baixo", diz a professora da Universidade de Brasília Germana Henriques Pereira, autora de *O estranho diário de uma escritora vira-lata*, um dos poucos trabalhos que analisam a obra de Carolina do ponto de vista da crítica literária. Depois do estrondoso sucesso, Carolina morreria pobre e praticamente esquecida, isolada num sítio, em fevereiro de 1977.

A literatura de Carolina Maria de Jesus só foi redescoberta na década de 1990, graças ao empenho do pesquisador brasileiro José Carlos Sebe Bom Meihy e do norte-americano Robert Levine, que juntos publicariam o livro *Cinderela negra: a saga de Carolina Maria de Jesus* (editora UFRJ, atualmente esgotado), e editariam duas coletâneas de inéditos da escritora. No exterior, porém, ela nunca deixou de ser lida e estudada, sobretudo nos EUA, onde *Quarto de despejo*, traduzido como *Child of the dark*, é utilizado nas escolas — ao contrário do que ocorre em sua terra natal.

Audálio Dantas, descobridor de Carolina Maria de Jesus, deu uma pequena entrevista ao *blog* Socialista Morena sobre a escritora.

Socialista Morena — Por que Carolina, mesmo sendo reconhecida no exterior, ficou tanto tempo esquecida no Brasil?

Audálio Dantas — *É que, como sempre, a moda passou rapidinho. A maioria "consumiu" Carolina como uma novidade, uma fruta estranha. Carolina, como* *objeto de consumo, passou, mas a importância de seu livro, um documento sobre os marginalizados, permanece.*

S.M. — Neste meio tempo, não apareceram tantas mulheres faveladas ou empregadas domésticas escritoras. Por quê?
AD — *Xi, foram dezenas ou centenas, Só eu recebi mais de vinte originais, Nenhum tinha a força do texto de Carolina.*

S.M. — Ainda hoje existem catadores de papel... A vida nas favelas mudou pouco em relação à época da Carolina?
AD — *Existem até mais, com a necessidade de reciclagem. A maioria, hoje, faz esse trabalho com carroças (aquelas sempre acompanhadas por um cachorro...). As favelas também mudaram. Não que seja bom e bonito viver nelas, mas em muitas já se observam os sinais da movimentação social dos últimos anos, quando milhões de brasileiros ascenderam à chamada nova classe C. Muitos desses brasileiros vivem nelas, com TV, internet, celular e outros objetos das novas tecnologias.*

S.M. — Você acompanhou Carolina até o fim?
AD — *Não. Carolina era uma pessoa de personalidade muito forte. Isso pode ser constatado no livro. Desentendeu-se comigo, me distanciei. Ela sempre buscou a glória, e quando esta se foi, se ressentiu. Morreu amarga.*

Desiludida com o insucesso de suas obras posteriores, Carolina rompeu com o jornalista e chegou a criticá-lo no livro *Casa de alvenaria*. "Eu queria ir para o rádio, cantar. Fiquei furiosa com a autoridade do Audálio, reprovando tudo. Dá impressão de que sou sua escrava." Em 1961, chegou a gravar um disco, com canções compostas por ela mesma. Mais tarde, perto do final da vida, a escritora mudou de opinião sobre seu descobridor. "O Audálio foi muito bom, muito correto comigo, eu sempre acreditei nele", disse Carolina à *Folha de S.Paulo* em sua última entrevista, em 1976.

Na mesma reportagem, Audálio Dantas conta sua versão do rompimento. "Ela recebia convites de um Matarazzo, recebia convites para falar em faculdades, para visitar o Chile, para frequentar a sociedade e dezenas de propostas de casamento. Mas eu achava que ela não devia entrar neste esquema, porque não era uma coisa natural. Porque as pessoas a procuravam como uma pessoa de sucesso e a viam como um animal curioso", disse o jornalista.

No enterro de Carolina, Audálio era uma das duas "autoridades" presentes além dos familiares — o outro era o prefeito de Embu-Guaçu. Um orador que não conhecera a escritora em vida improvisou o discurso de despedida. "Somente compareceram para lhe dar o último adeus as pessoas humildes, as pessoas que sempre a acompanharam em toda a sua vida." E fez, ali, o epitáfio de Carolina: "Morreu como viveu: pobre".

Frases de Carolina Maria de Jesus

"O assassinato de Kennedy é descendente de Herodes e neto de Caim. Kennedy era o sol dos Estados Unidos. O sol que se apagou. Um homem que era digno de viver séculos e séculos."

"Antigamente o que oprimia o homem era a palavra calvário; hoje é salário."

"O maior espetáculo do pobre da atualidade é comer."

"As crianças ricas brincam nos jardins com seus brinquedos prediletos. E as crianças pobres acompanham as mães a pedirem esmolas pelas ruas. Que desigualdades trágicas e que brincadeira do destino."

"A amizade do analfabeto é sincera. E o ódio também."

"Eu sou negra, a fome é amarela e dói muito."

"A favela é o depósito dos incultos que não sabem contar nem o dinheiro da esmola."

"Quem inventou a fome são os que comem."

"Quem não tem amigo, mas tem um livro, tem uma estrada."

#CAMARADAS

Eric Hobsbawn (1917-2012)

Em homenagem ao historiador marxista, algumas de suas frases marcantes:

"Fui um leal membro do partido comunista por duas décadas até 1956 e, portanto, omisso sobre muitas coisas sobre as quais é razoável não ser omisso."

"A impotência alcança tanto os que acreditam em um capitalismo puro, sem intervenção do estado, de mercado, uma espécie de anarquismo burguês internacional, quanto os que acreditam num socialismo planejado e sem contaminação pela busca de benefícios privados. Ambos estão na bancarrota. O futuro, como o presente e o passado, pertencem às economias mistas, onde público e privado convivem de uma maneira ou de outra. Mas como? Este é o problema de todo mundo hoje, mas especialmente das pessoas de esquerda."

"Se a mobilidade física é uma condição essencial de liberdade, a bicicleta provavelmente foi o maior dispositivo inventado desde Gutenberg para alcançar o que Marx chamou de realização plena das possibilidades do ser humano, e o único sem as óbvias desvantagens."

"Ideologicamente, hoje me sinto mais em casa na América Latina. É o único lugar no mundo em que as pessoas fazem política e falam dela na velha linguagem — a dos séculos XIX e XX, de socialismo, comunismo e marxismo."

"Minha convicção de ser de esquerda continua. Me posiciono fortemente contra o imperialismo e contra as forças que acham que fazem um bem a outros países ao invadi-los, e contra a tendência de pessoas que, por serem brancas, são superiores. Essas certezas eu não abandono. Mas algumas das minhas convicções mudaram. Não creio mais que o comunismo, como foi aplicado, poderia dar certo. E não sou mais revolucionário. Porém, não acho que tenha sido mau para mim e para minha geração termos sido revolucionários. Cresci na Alemanha de Hitler, sempre odiarei totalitarismos."

"Lula fez um trabalho maravilhoso não somente para o Brasil, mas também para a América do Sul. Ajudou a mudar o equilíbrio do mundo ao trazer os países em desenvolvimento para o centro das coisas."

"Me fascinam os recentes avanços no estudo do DNA, que torna possível uma cronologia e um mapa da propagação da espécie humana por todo o globo. Como historiador, as duas obras inovadoras, ambiciosas que mais me impressionaram foram *The birth of the modern world (O nascimento do mundo moderno)*, de Christopher Bayly, uma história autenticamente global, e *Framing the early middle ages (Formação da alta idade média)*, de Chris Wickham, que deve alterar nossas perspectivas sobre o que ocorreu após a queda do Império Romano."

"A queda das torres do World Trade Center foi certamente a mais abrangente experiência de catástrofe que se tem na história, inclusive por ter sido acompanhada em cada aparelho de televisão, nos dois hemisférios do planeta. Nunca houve algo assim. Agora, elas representam uma guinada histórica? Não tenho dúvida de que os EUA tratam o 11/9 dessa forma, como um *turning point*, mas não vejo as coisas desse modo. A não ser pelo fato de que o ataque deu ao governo americano a ocasião perfeita para o país demonstrar sua supremacia militar ao mundo. E com sucesso bastante discutível, diga-se."

"Nós de fato caminhamos em direção à Era do Declínio Americano. As guerras dos últimos dez anos demonstram como vem falhando a tentativa americana de consolidar sua solitária hegemonia mundial. Isso porque o mundo hoje é politicamente pluralista, e não monopolista. Ainda assim, não devemos subestimar os EUA. Qualquer que venha a ser a configuração do mundo no futuro, eles ainda se manterão como um grande país e não apenas porque são a terceira população do planeta. Ainda vão desfrutar, por um bom tempo, da notável acumulação científica que conseguiram fazer, além de todo o *soft power* global representado por sua indústria cultural, seus filmes, sua música etc."

O direito à preguiça

Quando eu tinha vinte e poucos anos, decidi pesquisar algum modelo de socialismo que tivesse "dado certo": cubano, soviético, albanês, cambojano... Apesar de amar o socialismo, não me encantei com nenhum, pelo contrário. A pior parte foi quando, ao ler sobre maoismo, descobri que a revolução cultural chinesa tinha sido responsável pela morte de 65 milhões de pessoas! Não acredito em nada bom que possa ter surgido de uma chacina.

Se tivesse que citar um grande ídolo socialista, diria que é Paul Lafargue (1842-1911), o genro de Karl Marx (casado com sua filha Laura), autor de *O direito à preguiça* (1880). Crítico ferrenho da superexploração do homem pelo trabalho, Lafargue teve a sacada de dividir as 24 horas do dia em oito horas de trabalho, oito horas de sono e oito horas de lazer. A reivindicação viraria bandeira de operários do mundo inteiro. Ele e Laura morreram de maneira poética, suicidando-se em par antes de serem atingidos pela velhice. Ambos beiravam os setenta anos.

Fora do prelo na época, tive que copiar o livro inteirinho em xerox para tê-lo em casa... Felizmente hoje, com a internet, dá para lê-lo *on-line*. Sou, portanto, uma socialista da linha "lafarguista". Creio, inclusive, que Lafargue apoiaria a ideia de reduzir ainda mais as horas de trabalho para que mais gente trabalhe, como defende o socialismo moderno, para solucionar o desemprego.

O capítulo de abertura do *Direito à preguiça* é genial e ainda incrivelmente atual.

Um dogma desastroso

"Sejamos preguiçosos em tudo, exceto em amar e em beber, exceto em sermos preguiçosos" (**Lessing**)

Uma estranha loucura se apossou das classes operárias das nações onde reina a civilização capitalista. Esta loucura arrasta consigo misérias individuais e sociais que há dois séculos torturam a triste humanidade. Esta loucura é o amor ao trabalho, a paixão moribunda pelo trabalho, levado até ao esgotamento das forças vitais do indivíduo e de seus filhos. Em vez de reagir contra esta aberração mental, os padres, os economistas, os moralistas sacrossantificaram o trabalho. Homens cegos e limitados, quiseram ser mais sábios do que o seu Deus; homens fracos e desprezíveis, quiseram reabilitar aquilo que o seu Deus amaldiçoara. Eu, que não me declaro cristão, economista nem moralista, coloco os seus juízos ante os do seu Deus; coloco diante dos sermões da sua moral religiosa, econômica, livre-pensadora, as terríveis consequências do trabalho na sociedade capitalista.

Na sociedade capitalista, o trabalho é a causa de toda a degenerescência intelectual, de toda a deformação orgânica. Comparem, por exemplo, o puro-sangue das cavalariças de Rothschild, servido por uma turba de lacaios bímanos, com a pesada besta das quintas normandas que lavra a terra, carrega o estrume, que põe no celeiro a colheita dos cereais. Olhem para o nobre selvagem, que os missionários do comércio e os comerciantes da religião ainda não corromperam com o cristianismo, com a sífilis e o dogma do trabalho, e olhem em seguida para os nossos miseráveis criados de máquinas.

Quando, na nossa Europa civilizada, se quer encontrar um traço de beleza nativa do homem, é preciso ir buscá-lo nas nações onde os preconceitos econômicos ainda não desenraizaram o ódio ao trabalho. A Espanha, que infelizmente degenera, ainda pode se gabar de possuir menos fábricas do que nós prisões e casernas; o artista se regozija ao admirar o ousado andaluz, moreno como as castanhas, reto e flexível como uma haste de aço; e o coração do homem sobressalta-se ao ouvir o mendigo, soberbamente envolvido na sua capa esburacada, chamar amigo aos duques de Ossuna. Para o espanhol, em cujo país o animal primitivo não está atrofiado, o trabalho é a pior das escravidões.

Os gregos da grande época também só tinham desprezo pelo trabalho: só aos escravos era permitido trabalhar, o homem livre só conhecia os exercícios físicos e os jogos da inteligência. Também era a época em que se caminhava e se respirava num povo de homens como Aristóteles, Fídias, Aristófanes; era a época em que um punhado de bravos esmagava em Maratona as hordas da Ásia que Alexandre iria dentro em breve conquistar. Os filósofos da Antiguidade ensinavam o desprezo pelo trabalho, essa degradação do homem livre; os poetas cantavam a preguiça, esse presente dos Deuses: *O Meliboe, Deus nobis hoec otia fecit* (Ó Melibeu, um Deus deu-nos esta ociosidade).

Cristo pregou a preguiça no seu sermão na montanha: "Olhai como crescem os lírios no campo, eles não trabalham nem fiam e, todavia, digo-vos: Salomão, em toda a sua glória, não se vestiu com maior brilho". Jeová, o deus barbudo e rebarbativo, deu aos seus adoradores o exemplo supremo da preguiça ideal; depois de seis dias de trabalho, descansou por toda a eternidade.

Em contrapartida, quais são as raças para quem o trabalho é uma necessidade orgânica? Os auverneses (da Auvernia, região da França); os escoceses, esses auverneses das ilhas britânicas; os galegos, esses auverneses da Espanha; os Pomeranianos, esses auverneses da Alemanha; os chineses, esses auverneses da Ásia. Na nossa sociedade, quais são as classes que amam o trabalho pelo trabalho? Os camponeses proprietários e os pequeno-burgueses, uns curvados sobre as suas terras, os outros retidos em suas lojas, movem-se como a toupeira em sua galeria subterrânea sem nunca endireitar o corpo para apreciar a natureza.

E, no entanto, o proletariado, a grande classe que engloba todos os produtores das nações civilizadas, a classe que, ao emancipar-se, emancipará a humanidade do trabalho servil e fará do animal humano um ser livre, o proletariado, traindo os seus instintos e se esquecendo da sua missão histórica, deixou-se perverter pelo dogma do trabalho. Rude e terrível foi o seu castigo. Todas as misérias individuais e sociais nasceram de sua paixão pelo trabalho.

Galeano: "Eu não seria capaz de ler de novo *As Veias Abertas...*, cairia desmaiado"

Em 1998 entrevistei a escritora Rachel de Queiroz (1910-2003) e ela me confessou sentir "antipatia mortal" por *O Quinze*, o clássico da literatura brasileira que publicou aos vinte anos, em 1930, e que, desde então, seria sua "obra mais importante e mais popular" (tudo quanto é enciclopédia se refere assim ao livro). O mesmo acontece com *As veias abertas da América Latina* e o escritor uruguaio Eduardo Galeano. Publicado em 1971, quando Galeano tinha trinta anos, a obra até hoje o persegue. É sempre nomeado como "o autor de *As Veias Abertas...*", o que, pelo visto, o incomoda — mesmo porque tem mais de trinta livros além dele.

Na entrevista coletiva que deu em Brasília, onde veio para ser o escritor homenageado da 2ª Bienal do Livro e da Leitura, Galeano ouviu provavelmente a milionésima pergunta sobre *Veias abertas*. "Faz quarenta anos que você escreveu *As veias abertas da América Latina*. Quais são as veias abertas hoje em dia?" E ele, em um português bastante razoável: "Seria para mim impossível responder a uma pergunta assim, especialmente porque, depois de tantos anos, não me sinto tão ligado a esse livro como quando o escrevi. O tempo passou, comecei a tentar outras coisas, a me aproximar mais à realidade humana em geral e em especial à economia política — porque *As veias abertas* tentou ser um livro de economia política, só que eu ainda não tinha a formação necessária. Não estou arrependido de tê-lo escrito, mas é uma etapa superada. Eu não seria capaz de ler de novo esse livro, cairia desmaiado. Para mim essa prosa de esquerda tradicional é chatíssima. O meu físico não aguentaria. Seria internado no pronto-socorro... 'Tem alguma cama livre?', perguntaria". Risadas.

Aproveito e emendo: "Mas o que você achou de Chávez dar o livro para o Obama? Obama entenderia *As veias abertas...?*". "Nem Obama, nem Chávez", responde Galeano para gargalhada geral. "Claro, porque ele entregou a Obama com a melhor intenção do mundo — Chávez era um santo, cara mais bondoso que esse eu não conheci –, mas deu de presente a Obama um livro em uma língua que ele não conhece. Então, foi um gesto generoso, mas um pouco cruel."

Eu nunca tinha visto o grande escritor uruguaio de perto. É mais baixo do que imaginava, cerca de 1,70m. Bastante frágil, aparenta ter mais do que seus setenta e três anos. Ele mesmo comenta que a maioria dos escritores é de esquerda e, como tal, chegados a uma boemia, e isso não faz bem à saúde... Uma menina pergunta: "A idade não é boa para os jogadores de futebol. E para os escritores?" Galeano discorda. "Depende. Tem velhos muito mais jovens que os velhos velhíssimos e tem velhos que você acha que estão esperando a morte e surpreendentemente acabam ganhando uma partida por oito a zero. Não depende da biologia nem do prognóstico dos profetas. Não depende de ninguém. O melhor que o futebol tem como esporte — a festa que o futebol é, a festa das pernas que jogam, a festa dos olhos — é a capacidade de surpresa, de assombro. Na verdade ninguém sabe o que vai acontecer. E menos ainda os especialistas. Aqueles doutores do futebol são seres temíveis, perigosíssimos para a sociedade e o mundo em geral."

Outro jornalista espeta: "Por que a esquerda não deu certo na América Latina?". Galeano não se faz de rogado: "Algumas vezes deu certo, algumas vezes, não. A realidade é mutável, a realidade política e todas as outras — por sorte. Senão seríamos estátuas, estaríamos congelados no tempo. Não é verdade que a esquerda não deu certo. Deu certo e muitas vezes foi demolida por ter dado certo, por ter tido razão, porque o que a esquerda predicou, em certo momento na América Latina, resultou ser a verdade, então foi punida. Punida pelos golpes de Estado, ditaduras militares, períodos prolongadíssimos de terror de Estado, crimes horrorosos cometidos em nome da paz social, do progresso. Da convivência democrática, imaginem! Que democracia e que convivência são essas? Tinham que perguntar: 'do que está falando, senhor?' As coisas são muito mais complexas do que parecem. Em alguns períodos, também, a esquerda comete erros gravíssimos, e em outros, não, faz o que deve ser feito da melhor maneira, até além do que o próprio movimento de massas estava esperando. A realidade sempre tem esse poder de surpresa. Te surpreende com a resposta que dá a perguntas nunca formuladas. E que são as mais tentadoras. O grande estímulo para a vida está aí, na capacidade de adivinhar possíveis perguntas não formuladas".

Galeano está cansado, foram muitas horas de viagem para chegar à capital federal, e quer encerrar a entrevista. Eu protesto: "Mas e Mujica? Você não vai falar de Mujica?". Ele não resiste e se senta de novo. "Estou meio cansado, estou fatigado de falar de Mujica, porque todo mundo fala dele! Até em outros planetas se fala de Mujica. Em Marte, Júpiter... É incrível a capacidade de ressonância que Mujica tem. E ele é muito meu amigo, já faz muitos anos. A única coisa que posso fazer para incorporar um grão de areia a esta praia imensa de Mujica caminhando pelo mundo seria contar uma *piccola* história que dá ideia da qualidade humana do personagem."

E começou a narrar, saborosamente, como é de seu feitio:

"Faz uns quatro anos — ***não tenho interesse em lembrar direito a data*** — fui operado de câncer. Foi um câncer sério, agudo. Tomei uma anestesia muito forte, dessas que não desaparecem rápido. E estava sozinho na cama do hospital, esperando que passasse o efeito da anestesia. Ou seja, mais dormido do que acordado. Sem saber muito o que acontecia, onde estava, delirando. E neste período, sozinho em uma cama — sozinho, não, acompanhado pelo câncer, mas o câncer não é um amigo confiável. Não te recomendo. Bem, estava eu ali e volta e meia delirava. Como sou muito futeboleiro, um religioso da bola, tinha delírios futebolistas que me levaram aos anos de infância, quando jogava na rua, com bolas improvisadas, feitas com trapos velhos. E em uma dessas fugas, comecei a bater bola. Como se fosse uma múmia egípcia que tinha errado de domicílio, jogando futebol contra ninguém e sem bola nenhuma, só na imaginação. Chutava a bola e ela voltava, chutava e ela voltava. Tudo debaixo do lençol. E nada, a bola continuava, como se estivesse morta de riso da minha estupidez de achar que podia com ela. 'Não, você não pode comigo.' Numa dessas, senti um peso em cima dos meus joelhos. Aí começo a recobrar a realidade e vejo alguém que conheço, uma voz que reconheço, de um amigo. E pergunto:

— O que você está fazendo aqui?

E ele:

— Isso é maneira de receber um amigo?

— Não importa, quero saber o que você faz aqui. Está doente também?

— Que é isso, estou saudabilíssimo. O enfermo é você.

— Estou sabendo. Obrigado pela notícia, mas já estou sabendo.

— O doente é você, está fodido, irmão. Eu vim te visitar. Agora, não sabia que se recebia um amigo assim, chutando-o, chutando-o e chutando-o. Não é muito educado.

Continuamos nessa até que eu falei:

— Olhe, chega. Sua função não é estar aqui brincando comigo. Você é o presidente da República e sua função é governar. Mujica, você é o presidente! Vai governar este país já! Estamos precisando de sua participação ativa, desinteressada, importantíssima para o nosso povo. Não perca mais tempo comigo.

— Ah, bela maneira de ser amigo, hein?

— Será bela ou será feia, mas é a única maneira para você. Você é o presidente! Além disso, para piorar, todo mundo gosta de você e quer que continue sendo presidente por uns 300 anos mais. Se você não gosta, foda-se.

E aí acabou."

Na saída, consigo falar a Eduardo Galeano do enorme prazer que sinto em conhecê-lo pessoalmente e lhe conto que adoro *O livro dos abraços*. Ele olha para mim e diz: "Eu também".

Ufa.

Oscar Niemeyer (1907-2012), comunista

A ligação do arquiteto Oscar Niemeyer com o comunismo em suas próprias palavras:

"Nasci em uma família muito religiosa. Meu avô era religioso. Na casa em que eu morei tinha cinco janelas, uma delas transformada em oratório pela minha avó. Tinha missa lá em casa."

"Apesar da vida burguesa, de ter missa em casa, quando eu saí pela vida, percebi que o mundo era injusto demais. Por isso entrei para o Partido Comunista."

"O partido para mim foi uma escola, a maneira de ver a vida de forma mais humana e solidária."

"Lógico que ainda acredito no comunismo. Não sou cretino. É uma ideia que está no coração de todo mundo."

"O que se passou na União Soviética foi um acidente de percurso. Outro dia veio um soviético falar comigo. Perguntei a ele o que ele pensava de Stálin. Ele disse que estava de acordo com tudo o que ele fez. De modo que a ideia não acabou. Está no ar."

"Nunca me calei. Nunca escondi minha posição de comunista. Os mais compreensíveis que me convocam como arquiteto sabem da minha posição ideológica. Pensam que sou um equivocado, e penso a mesma coisa deles. Não permito que ideologia nenhuma interfira em minhas amizades."

"Se eu fosse jovem, em vez de fazer arquitetura, gostaria de estar na rua protestando contra este mundo de merda em que vivemos. Mas, se isso não é possível, limito-me a reclamar o mundo mais justo que desejamos, com os homens iguais, de mãos-dadas, vivendo dignamente esta vida curta e sem perspectivas que o destino lhes impõe."

"Temos que lutar contra esse homem que só pensa nele, em ganhar dinheiro, um homem que o capitalismo criou."

"Sempre tive a ideia de que o dinheiro não vale nada. Já disse que teria vergonha de ser um homem rico. Considero o dinheiro uma coisa sórdida."

"Ser comunista é ser realista. A própria história da vida nasce e morre, são os minutos que ela dá. Mas é uma razão para a gente andar de mãos-dadas, trabalhar."

"Ser comunista, hoje, é ser um indivíduo simples, justo e solidário. O mundo que está aí me preocupa. Quando as torres gêmeas desabaram em Nova York, no 11 de setembro, eu tomava café em um bar do Rio. Vendo as imagens na TV, pensei em como somos pequenos no universo. O homem precisa tomar consciência disso e parar de produzir injustiça."

"O que me faz levantar todas as manhãs é o mesmo de sempre: a luta, o comunismo puro e simples."

"O capitalismo domina, mas ele vai fracassar. Tenho fé nisso. A revolução não pode parar."

"Quando a miséria cresce e a esperança foge do coração dos homens, só a revolução."

"A gente tem que sonhar, senão as coisas não acontecem."

José Saramago: "Ser comunista é um estado de espírito"

Uma pergunta perseguiu o Nobel de literatura português José Saramago (1922-2010) durante boa parte de sua vida: "por que o senhor continua se dizendo comunista?", ouviu centenas de vezes. E sempre respondia: "Porque ser comunista ou ser socialista é um estado de espírito". É algo que muita gente teima em não entender e confundir com partidos ou regimes fracassados... Sinto imensa saudade de Saramago.

Reproduzo um texto do escritor sobre o tema:

"Que significa hoje ser escritor comunista? À margem das distinções mais ou menos sutis que poderíamos fazer entre ser-se um escritor comunista e um comunista escritor (não é certamente o mesmo, por exemplo, ser-se jornalista comunista e comunista jornalista...), creio que a pergunta não vai dirigida ao alvo que mais importa. Pelo menos em minha opinião. Tiremos o escritor e perguntemos simplesmente: Que significa ser hoje comunista? Desmoronou-se a União Soviética, foram arrastadas na queda as denominadas democracias populares, a China histórica mudou menos do que se julga, a Coreia do Norte é uma farsa trágica, as mãos dos Estados Unidos continuam a apertar o pescoço de Cuba... Ainda é possível, nesta situação, ser-se comunista? Penso que sim. Com a condição, reconheço que nada materialista, de que não se perca o estado de espírito.

Ser-se comunista ou ser-se socialista é, além de tudo o mais, e tanto como ou ainda mais importante que o resto, um estado de espírito. Neste sentido, foi Yeltsin alguma vez comunista? Foi-o alguma vez Stalin? A epígrafe que pus em *Objeto quase*, tirada de *A sagrada família*, contém e explica de modo claro e definitivo o que estou a tentar exprimir. Dizem Marx e Engels: 'Se o homem é formado pelas circunstâncias, é necessário formar as circunstâncias humanamente'. Está aqui tudo. Só um 'estado de espírito comunista' pode ter presente, como regra de pensamento e de conduta, estas palavras. Em todas as circunstâncias."

Fonte: jornal *Público*, 10/10/1998.

Em 2008, Saramago foi sabatinado pelo jornal *Folha de S.Paulo* e declarou o seguinte sobre a "pergunta inevitável": "Como é que, depois da queda da União Soviética, do derrubamento do muro de Berlim, dos processos de Moscou, da invasão da Hungria, como você continua a ser comunista?".

"Eu poderia responder perguntando: 'Você é católica? Como é que continua católica após a Inquisição?'." Mas disse: "Eu sou aquilo que se podia chamar 'um comunista hormonal'. O que isso quer dizer? Da mesma maneira que tenho no corpo um hormônio que me faz crescer a barba, há outro hormônio que me obriga, mesmo que eu não quisesse, por uma espécie de fatalidade biológica, a ser comunista. É muito simples. Mais tarde, comecei a dizer que ser comunista é um estado de espírito. E é. Pode-se ler Marx, as obras mais importantes que Lenin escreveu, mas no fundo, no fundo, é um estado de espírito. (...) Marx nunca teve tanta razão como agora".

E, por fim, por que o socialismo não deu certo, Saramago?

"O socialismo não se pode construir nem contra os cidadãos nem sem os cidadãos, e por isso não ter sido entendido é que a esquerda é hoje um campo de ruínas onde, apesar de tudo, uns quantos ainda teimam em buscar e colar fragmentos das velhas ideias com a esperança de poderem criar algo novo... 'Irão consegui-lo?', perguntaram-me, e eu respondi: 'Sim, um dia, mas eu já cá não estarei para ver...'

Cadernos de Lanzarote, volume V.

Fidel Castro está agonizando (por Fidel Castro)

Cansado de ler e ouvir falar de sua própria morte, anunciada praticamente toda semana nas redes sociais, Fidel Castro resolveu publicar ele mesmo um artigo no jornal *Granma* com este título: "Fidel Castro está agonizando". Devemos reconhecer que o homem tem senso de humor. No texto, o "comentarista em chefe" cubano aproveita para fazer uma crítica contundente à mídia e ao capitalismo.

* * *

Fidel Castro está agonizando

por Fidel Castro

Bastou uma mensagem aos graduados do primeiro curso do Instituto de Ciências Médicas Victoria de Girón para que o galinheiro da propaganda imperialista se alvoroçasse e as agências informativas se lançassem vorazes atrás da mentira. Não só isso. Em suas transmissões adicionaram ao paciente as mais insólitas idiotices.

O jornal *ABC da Espanha* publicou que um médico venezuelano, que mora nem se sabe onde, revelou que Castro havia sofrido uma embolia em massa na artéria cerebral direita. "Posso dizer que não vamos voltar a vê-lo publicamente." O suposto médico, que se o é abandonaria primeiro a seus próprios compatriotas, qualificou o estado de saúde de Castro de "muito próximo do estado neurovegetativo".

Embora muitas pessoas no mundo sejam enganadas pelos órgãos de informação, quase todos em mãos dos privilegiados e dos ricos, que publicam estas imbecilidades, as pessoas acreditam cada vez menos nelas. Ninguém gosta de ser enganado. Até o mentiroso mais incorrigível gosta que lhe digam a verdade. Todo mundo acreditou, em abril de 1961, nas notícias publicadas pelas agências dando conta de que os invasores mercenários de Girón ou Baía dos Porcos, como queiram chamar, estavam chegando a Havana, quando em realidade alguns deles tentavam infrutiferamente alcançar em barcos os navios de guerra ianques que os escoltavam.

Os povos aprendem e a resistência cresce frente às crises do capitalismo, que se repetem cada vez com maior frequência; nenhuma mentira, repressão ou novas armas poderá impedir a derrocada de um sistema de produção crescentemente desigual e injusto.

Há poucos dias, muito próximo ao 50º aniversário da "Crise de Outubro", as agências de notícias assinalaram três culpados: Kennedy, recém-chegado à chefia do império, Kruschev e Castro. Cuba nada teve a ver com a arma nuclear, nem com a chacina desnecessária de Hiroshima e Nagasaki, perpetrada pelo presidente dos Estados Unidos, Harry S. Truman, estabelecendo a tirania das armas nucleares. Cuba defendia seu direito à independência e à justiça social.

Quando aceitamos a ajuda soviética em armas, petróleo, alimentos e outros recursos, foi para nos defendermos dos planos ianques de invadir nossa pátria, submetida a uma suja e sangrenta guerra que esse país capitalista nos impôs desde os primeiros meses, e que custou milhares de vidas e mutilados cubanos.

Quando Kruschev nos propôs instalar projéteis de alcance médio, similares aos que os Estados Unidos tinham na Turquia — ainda mais próxima da URSS que Cuba dos Estados Unidos —, como uma necessidade solidária, Cuba não vacilou em assumir tal risco. Nossa conduta foi eticamente imaculada. Nunca pediremos desculpas a ninguém por aquilo que fizemos. O certo é que decorreu meio século e ainda estamos aqui, de cabeça erguida.

Eu gosto de escrever e escrevo; gosto de estudar e estudo. Há muitas tarefas na área dos conhecimentos. Nunca as ciências, por exemplo, avançaram a uma velocidade tão espantosa.

Deixei de publicar *Reflexões* porque, certamente, meu papel não é o de ocupar as páginas de nossa imprensa, consagrada a outras tarefas que requer o país.

Aves de mau agouro! Não recordo sequer o que é uma dor de cabeça. Como prova de quão mentirosos são, lhes deixo de presente as fotos que acompanham este artigo.

Publicado originalmente no Jornal *Granma* em 22/10/2012.

O chão da casa de Trótski era vermelho

"Stalin matou nossa velha revolução vermelha para sempre", escreveu Allen Ginsberg em seu poema *Capitol air*. As palavras do poeta *beat* ressoavam em minha cabeça enquanto eu percorria o Museu Casa de Leon Trótski, em Coyoacan, na Cidade do México. Acho que é um dos museus mais tristes do mundo. Estão depositadas naquele jardim as cinzas do revolucionário russo, assim como as de sua companheira Natália Sedova. É como se o lugar fosse a tumba do sonho comunista. Como se tivesse uma placa invisível pairando sobre a cabeça do visitante: "Aqui jaz o comunismo".

O escritor cubano Leonardo Padura, autor do romance *O homem que amava os cachorros*, sobre a vida (e a morte) de Leon Trótski, já havia me contado da emoção que sentira ao entrar naquela casa, muitos anos antes de pensar em escrever o livro. Ali, em agosto de 1940, o catalão Ramón Mercader desferiu o golpe de picareta na cabeça que mataria o segundo do triunvirato que comandou a Revolução Russa, em 1917. Lenin estava morto desde 1924. Agora, só sobraria Josef Stalin, a quem Trótski apelidara "o coveiro da revolução".

No museu ficamos sabendo que Stalin não só perseguiu Trótski até o México como dizimou quase toda a sua descendência: só sobraram dois netos. A tristeza que paira sobre a casa é ainda maior porque normalmente quem a visita o faz depois de ir à Casa Azul, o museu de Frida Kahlo, a poucas quadras dali. A casa de Frida, onde Trótski morou um tempo quando chegou ao México, é colorida, alegre, cheia de vida. A casa de Trótski é escura, acinzentada, com muros altos, protegida por guaritas de vigilância.

Também é um museu acanhado para a estatura de Leon Trótski, como personagem histórico e intelectual. As fotos parecem xerocadas, tudo dá a impressão de ser meio improvisado. Mas as imagens mostram um homem bastante sorridente, relaxado, em paz. Trótski aparenta estar feliz em terras mexicanas. Sente-se livre, talvez? Faz excursões com seus jovens aprendizes, recolhe cactos na natureza para plantar no jardim. Bonito jardim.

A casa onde Leon e Natália viveram permanece intacta. O tempo lá dentro está em suspensão. O chão da casa de Trótski é vermelho, sobre a cama dele há um chapéu e uma bengala. No armário, seu pijama favorito, algumas roupas e os sapatos de Natália. Que pezinhos pequeninos. No escritório de Trótski, um caderno de anotações aberto. A porta de saída é mínima e blindada. As janelas são tapadas até a metade.

Sinto o peso do mundo sobre meus ombros, penso sobre a capacidade humana de estragar ideias extraordinárias, a possibilidade de um mundo novo, por causa da inveja, do desejo de poder, da vaidade. Na saída, no jardim da casa de Leon Trótski, encontro um beija-flor morto sobre um copo-de-leite.

Glauber Rocha, gênio da raça

Para mim, não existiu cineasta mais revolucionário do que Glauber, estética e politicamente. Che Guevara chegou a comparar a importância de *Deus e o diabo na terra do sol* (1964) à de *Dom Quixote* na literatura. Em carta ao irmão de Che, Alfredo, o diretor conta que planejava filmar *America nuestra* em memória do guerrilheiro morto, projeto nunca concretizado, mas que serviu de base para o roteiro de *Terra em transe* (1967). No manifesto *Eztetyka do sonho* (1971), Glauber expõe alguns dos seus conceitos de arte revolucionária:

"As conclusões dos relatórios dos sistemas capitalistas encaram o homem pobre como um objeto que deve ser alimentado. E nos países socialistas observamos a permanente polêmica entre os profetas da revolução total e os burocratas que tratam o homem como objeto a ser massificado. A maioria dos profetas da revolução total é composta de artistas."

"O pior inimigo da arte revolucionária é sua mediocridade."

"Os sistemas culturais atuantes, de direita e de esquerda, estão presos a uma razão conservadora. O fracasso das esquerdas no Brasil é resultado deste vício colonizador."

"As raízes índias e negras do povo latino-americano devem ser compreendidas como única força desenvolvida deste continente. Nossas classes médias e burguesias são caricaturas decadentes das sociedades colonizadoras. A cultura popular não é o que se chama tecnicamente de folclore, mas a linguagem popular de permanente rebelião histórica. O encontro dos revolucionários desligados da razão burguesa com as estruturas mais significativas desta cultura popular será a primeira configuração de um novo significado revolucionário. O sonho é o único direito que não se pode proibir."

Em 1974, Glauber Rocha foi atacado pela esquerda brasileira, que sempre o venerou, por elogiar o general Golbery do Couto e Silva, a quem chamou de "um dos gênios da raça". Equívoco? Não sei e não me importa. Para mim gênio da raça era Glauber.

Comunista, sim. Ateu, também. (por Lelé Filgueiras — 1932-2014)

Tive a enorme honra de conhecer o arquiteto João Filgueiras Lima, o Lelé, há dez anos, para juntos escrevermos o livro *O que é ser arquiteto*, pela editora Record. Durante uma semana, conversamos durante horas. Eu gravava tudo e depois transpus para o papel quase exatamente do jeito que ele falou sobre a vida, a carreira, sua maneira socialista de ver o mundo.

Discípulo e amigo de Oscar Niemeyer, com quem trabalhou na construção de Brasília, Lelé era considerado um craque da argamassa armada: enormes estruturas de concreto, levíssimas, que barateiam o custo das obras, e, por isso mesmo, de enorme utilidade na arquitetura pública, que Lelé optou por seguir, até por questões ideológicas. Sua obra mais conhecida são os hospitais da Rede Sarah, onde pôde aplicar as ideias inovadoras de utilização da luz e ventilação naturais inspiradas na arquitetura nórdica, que ele adorava.

Um dos seus últimos trabalhos foi a concretização de um desejo antigo de outro grande amigo, Darcy Ribeiro, para quem projetou o Memorial que o antropólogo queria que se tornasse conhecido como "Beijódromo", na UnB. E assim foi.

Carioca do subúrbio do Encantado radicado em Salvador, Lelé ganhou o apelido por conta das peladas na escola. Como jogava na mesma posição que um artilheiro do Vasco da Gama chamado Lelé (Manuel Pessanha), alguém sapecou o nome e pegou. O pai de Lelé era pianista e o gosto pela música passou para o filho, que enchia as noites do acampamento, durante a construção de Brasília, com o seu acordeão. Uma das frases inesquecíveis de Lelé para mim, aliás, foi quando eu perguntei qual era sua maior frustração na vida, achando que ele iria responder algo como "não ter podido levar adiante a reforma do Centro Histórico de Salvador que planejei com Lina Bo Bardi" — que eu adoraria que tivesse acontecido.

Mas Lelé, que continuava a tocar teclado, disse:

— O que me causa frustração é não ler partitura.

Lelé morreu hoje e fiquei muito triste com a partida de mais um mestre. Em sua homenagem, publico um capítulo do livro que fizemos e que trata justamente destes temas tão caros a ele, a mim e a este *blog*. Beijo, Lelé querido.

* * *

Comunista, sim. Ateu, também

por Lelé Filgueiras

Estive na China quando ela se encontrava num estágio ainda mais atrasado do que a União Soviética na época em que a visitei, na década de 1960. Fui no mesmo período em que o cartunista Henfil (1944-1988) escreveu o livro *Henfil na China (antes da Coca-Cola)*, em 1984. Claro que quando ele escreveu era um pouco caricatura, afinal Henfil era humorista. Eu gostei de muitas coisas que vi.

Quase não havia automóveis, só bicicletas. Mesmo diante dessas circunstâncias tão peculiares, aquele barulho infernal de campainha de bicicleta, achei agradável, todo mundo vestido de azul e cinza. Isso para mim era confortável. Para não ficar diferente, comprei uma roupa igual à deles. Antes, as crianças vinham me cutucar para ver se eu era um bicho, alguém que tinha caído do planeta Marte. Lembro-me de ver um carrinho de bebê comunitário, com uma mãe só levando os bebês da vizinhança toda para passear. Pareceu-me solidário.

Quando cheguei a Cantão, umas pessoas do Ministério da Cultura de lá iriam me receber, mas era tanta gente na estação de trem — eu vinha de Hong Kong — que fiquei absolutamente perdido, não vi o cartaz que eles fizeram. Minha situação era péssima: milhares de pessoas, todas vestidas de cinza e azul, olhando para mim e rindo, ninguém falava inglês. Depois, por muita sorte, com mala e tudo, andando a pé, vi uma coisa escrita em inglês, e era um prédio de turismo. Lá eles conseguiram me identificar, mas já tinha perdido o dia inteiro nessa confusão.

Sinto-me comunista até hoje, acho que com o capitalismo a gente não vai se desenvolver mais. Posso ter revisto algumas posições, mas continuo achando que o homem só pode ser feliz através do socialismo. Tenho absoluta convicção de que com o capitalismo só vai haver guerras e mais guerras. Claro que do totalitarismo a gente não gosta. Naquela época, como havia duas tendências tão antagônicas e o capitalismo era maioria, houve essa tentativa de se fechar, a chamada Cortina de Ferro. Cuba só pode subsistir até hoje rodeada pelos EUA, nessa crueldade do bloqueio econômico, com um regime de força. O poder do capitalismo é tão grande que, quando abre, corrompe tudo.

É difícil estabelecer o socialismo enquanto houver esse capitalismo selvagem que está aí, com um poder de fogo muito maior. O capitalismo se alimenta da miséria dos países pobres, e a globalização não foi feita para resolver nossos problemas; estamos mais miseráveis do que antes, não resolveu nada. Acho que a humanidade foi mais feliz enquanto havia os dois, capitalismo e socialismo. De certa maneira, equilibrava.

Quando havia essas duas forças, é lógico que a arrogância dos EUA não era tão grande, porque sabiam que do outro lado existia uma bomba igualzinha à deles. Não era como hoje, que os EUA dizem que vão desarmar algum país e começam uma guerra. Isso é ridículo, tem que desarmá-los primeiro, porque têm todas as armas. É uma coisa tão contraditória, essa forma de encarar a igualdade do mundo, é um absurdo que se vê no capitalismo. O lado competitivo, ter de ser um *winner* (vencedor), não um *loser* (perdedor). Não posso aceitar, é uma coisa forte dentro de mim. Vou morrer socialista, comunista, o que for, não tem condição.

Se não atuo na iniciativa privada é porque não sei, tenho horror aos valores que são colocados. Foi uma opção bastante ideológica também, feita num período em que estava sedimentando essas informações. Não era militante, mas participava das reuniões do PCB com Oscar (Niemeyer), na época da UnB. Como estudante, na faculdade, não tinha me envolvido, mas o que aconteceu é que ficamos, eu e o arquiteto Ítalo Campofiorito, sendo uma espécie de representantes de Oscar na universidade, quando ele estava ausente, nas discussões que havia. E fiquei um pouco como representante do PCB na UnB, embora não filiado. Desde pequeno tinha isso em mim, um primo comunista, essas coisas vão chegando... A convicção ideológica não foi forçada, era natural.

Minha família era espírita, e havia todo aquele sincretismo com a religião católica, umbanda, valia tudo — essa coisa brasileira, uma mistura danada. A Bahia, então, é formidável. O baiano pensa com a mente e com o coração. Como tudo isso é carregado de emocional, propicia o sincretismo, fundir no caldeirão crenças muitas vezes antagônicas, misturar religião católica com candomblé. Acho essa geleia fantástica. No meu caso, havia toda uma pressão da família pela religião, mas não conseguia acreditar. Não posso me influenciar por uma coisa que não estou sentindo por dentro.

Sou ateu. Envolvo-me com o candomblé na Bahia mais como objeto de estudo, acho interessante. Toda sexta-feira visto uma camisa branca, e é porque, de certa maneira, respeito a cultura baiana de se vestir de branco na sexta. Não sei exatamente porquê, mas uso. Um dos maiores amigos que tive foi frei Mateus Rocha, da ordem dos dominicanos. Passamos muitas noites conversando. Essa diferença que havia entre nós, de eu não acreditar em Deus, não impedia que tivéssemos os mesmos valores éticos, uma visão socialista idêntica do mundo.

Não sei por que essas coisas podem de repente afastar as pessoas. É fundamental procurar os pontos de identidade, eles sempre existem. Se a gente faz isso, consegue viver coletivamente; se radicaliza, não dá.

Juruna, o índio deputado

Parece incrível, mas em mais de 125 anos de República o Brasil só teve um parlamentar indígena: Mário Juruna (1942-2002). E nunca mais foi dia do Índio no parlamento desde que ele saiu de lá — em vez disso, multiplicaram-se no Congresso os inimigos da causa indígena. No final da década de 1970, Juruna se tornara conhecido por empunhar um gravador onde registrava as falsas promessas feitas por altos funcionários do governo de devolver as terras dos Xavante. Dizia: "Homem branco mente muito". Acabou eleito deputado federal pelo PDT, de Darcy Ribeiro e Leonel Brizola, com mais de 30 mil votos, na eleição de 1982.

Sua passagem pelo Congresso foi marcada pela tentativa de ridicularizá-lo e de transformá-lo num bufão. Jô Soares, em seu programa humorístico na Globo, logo criou um índio que mal sabia falar o português para que os telespectadores rissem dele. O general João Baptista de Figueiredo, último presidente militar, foi o primeiro a rosnar contra Juruna, dizendo que o Rio de Janeiro só tinha elegido «índios e cantores de rádio». Seu ministro da Aeronáutica, Délio Jardim de Matos, verbalizou a definição inconfessável que estava em todas as cabeças da direita: «aculturado exótico».

O líder xavante fora convencido a entrar na política por Darcy, que denunciou a campanha contra o índio deputado feita, sobretudo, pela imprensa. "Este índio novo, tão melhor armado para a sua própria defesa, provoca grandes antipatias. O seu símbolo maior, Mário Juruna, chega a desencadear ódios como se fosse um ser detestável. É profundamente lamentável que até a imprensa mais respeitável do país, a exemplo do *Jornal do Brasil*, tenha mantido, durante anos, uma campanha sistemática de desinformação contra o deputado Mário Juruna, através dos procedimentos mais antiéticos, indignos da sua tradição jornalística." Segundo Darcy, foi "graças à mobilização que ele fez de todos os Xavantes e à declaração de guerra que impôs à sociedade brasileira, que recuperou para o seu povo mais da metade do território tribal, roubado com a conivência de funcionários da FUNAI".

No dia da sua posse como deputado, em março de 1983, Juruna foi aplaudidíssimo, mais até que Ulysses Guimarães. Decidido a só fazer seu primeiro discurso no dia do Índio, resolveu falar uns dias antes apenas para reclamar das alfinetadas de Figueiredo. "Estou muito revoltado. Este presidente da República tem que fazer serviço para garantir emprego ao povo brasileiro e não para fazer campanha de calúnia contra as pessoas. Eu sou contra a repressão, contra a violência e também contra a mentira e a sujeira. O presidente não pode falar besteira, que é contra a eleição, que é contra mim. Graças a Deus fui eleito pelo Rio de Janeiro. Os cariocas me deram oportunidade para vir a Brasília, onde existe pecado, existe treteiro, existe corrupto, para protestar contra o que está errado. O governo federal quer ganhar eleições em todos os estados do Brasil, mas ele não vai ganhar a consciência do povo, do homem carecido. O presidente não pode meter o pau em nenhum companheiro, em nenhum deputado. Ele que salve o Brasil."

No dia 19 de abril, como prometido, subiu à tribuna e voltou à carga, valente, criticando os ministros do governo militar e pedindo sua demissão. Em setembro de 1983, iria além e chamaria os ministros de ladrões. "Todo ministro é a mesma panelinha, é a mesma cabeça. Não tem ministro nenhum que presta. Pra mim todo ministro é corrupto, ladrão, sem vergonha e mau caráter. Não vou dizer que todo ministro é bom, legal e justo. Vou dizer que todo ministro é do mesmo saco que aproveita o suor do povo trabalhador."

Figueiredo, furioso, chegou a pedir a cassação de Juruna, mas o deputado acabou recebendo apenas uma censura por parte da Mesa. Em 1985, Mário Juruna denunciaria a tentativa de Paulo Maluf de comprar seu voto no colégio eleitoral. Devolveu o dinheiro e votou em Tancredo Neves. Desgostoso com a política após não conseguir se reeleger em 1986, Juruna morreu em 2002, vítima de diabetes. O único índio deputado morreu pobre e esquecido.

Quando vai surgir um novo Juruna no Congresso?

A noite em que Jean-Paul Sartre fumou um charuto com Che Guevara

"Guevara, diretor do banco Nacional, ao oferecer-me um excelente café em seu escritório, me disse:

— Primeiro sou médico, depois soldado, e finalmente, como o senhor vê, banqueiro."

Entre fevereiro e março de 1960, pouco mais de um ano após a revolução que derrubou Fulgencio Batista, o casal de filósofos franceses Jean-Paul Sartre e Simone de Beauvoir passou um mês em Cuba. O simpatizante do comunismo, Sartre, já havia rompido com o partido, ao qual nunca se filiou, e publicado *O fantasma de Stalin*, espécie de manifesto de seu anti-stalinismo e ao mesmo tempo de seu anti-imperialismo. "Éramos muito difíceis de classificar. De esquerda, mas não comunistas", escreveu Simone em *A força das coisas*, terceiro volume de sua autobiografia.

A estadia rendeu um livro, *Furacão sobre o açúcar*, publicado no Brasil como *Furacão sobre Cuba* pela editora do autor no mesmo ano, enriquecido com depoimentos de Rubem Braga e Fernando Sabino sobre suas viagens à ilha. Uma joia que merece reedição. Sartre estava, então, totalmente embevecido com os jovens revolucionários barbudos e cabeludos que haviam tomado o poder na ilha caribenha. Anos mais tarde, em 1971, ele e Simone romperiam com Fidel Castro diante da prisão do poeta Herberto Padilla.

No livro, o filósofo relata suas impressões de um Fidel em princípio desconfiado e mal-humorado, que vai relaxando pouco a pouco, mas que se mantém "um homem difícil de ser enquadrado" — como eles próprios. Sartre também conta como foi seu encontro com o guerrilheiro argentino à meia-noite, quando Guevara ocupava o cargo de presidente do banco Nacional e ministro da Indústria. Quatro anos depois, Che deixaria Cuba para retornar à guerrilha, primeiro no Congo, sem sucesso, e em seguida na Bolívia, onde foi capturado no dia 8 de outubro de 1967. No dia seguinte, é morto.

O que mais chama a atenção no livro é o encantamento de Sartre com o vigor de Che e dos outros revolucionários, em plena flor da idade.

Não deixa de ser melancólico, hoje, ver que aqueles jovens envelheceram e que o poder não se renovou em Cuba. Talvez seja o mesmo problema que começa a enfrentar o PT hoje... Mas, naquela agradável madrugada de 1960, os ventos que sopravam eram frescos e cheios de esperança. Por eles, Sartre deixaria de lado o cachimbo com o qual sempre é retratado para fumar um "puro" cubano com Che, "o ser humano mais completo de nossa época".

Leia abaixo trechos do relato de Jean-Paul Sartre sobre a viagem e o encontro com Che Guevara, que traduzi da versão em espanhol.

* * *

Por *Jean-Paul Sartre*

O maior escândalo da revolução cubana não é ter expropriado fazendas e terras, mas ter levado garotos ao poder. Havia anos que os avôs, os pais e os irmãos mais velhos esperavam que o ditador quisesse morrer: a ascensão se efetuaria por antiguidade.

Prevendo o dia distante em que o time seria substituído, os partidos corriam de quando em quando o risco de proclamar publicamente sua adesão ao parlamentarismo. Tudo ia bem até que um dia os mais novos tomaram o poder e proclamaram que permaneceriam ali.

Abaixo os velhos no poder! Não vi um só entre os dirigentes: recorrendo a ilha encontrei apenas, em postos de mando, de um a outro extremo da escala, meus filhos — se é possível dizer assim. Em todo caso, os filhos de meus contemporâneos. Os pais nem se percebem: os quinquagenários desta ilha são os mais discretos do mundo.

Loiro e magro, imberbe, com seus vinte e nove anos, o ministro das Comunicações não é o caçula dessa revolução, mas tem a alegria séria dos adolescentes. Isso basta para que seus jovens colegas se divirtam fazendo brincadeiras sobre sua juventude, o que equivale a se surpreender com ela.

Armando Hart tem vinte e sete anos; Guevara e Raul Castro acabaram de fazer trinta. Quando não falam dos assuntos públicos são como os demais jovens quando se reúnem: provocam uns aos outros e se percebe em suas palavras que a velhice começa muito cedo — cedo demais, na minha opinião.

(...)

No que me diz respeito, sentia-me mais velho entre eles do que em Paris e, apesar de sua extrema amabilidade, temia ao mesmo tempo importuná-los e trair meus contemporâneos.

Já que era necessária uma revolução, as circunstâncias designaram a juventude para fazê-la. Só a juventude tinha a cólera e a angústia suficientes para empreendê-la e a pureza necessária para concretizá-la.

(...)

Em Cuba, a idade preserva seus dirigentes: sua juventude lhes permite afrontar a realidade revolucionária em sua austera dureza. Se têm que aprender, se devem ajudar-se com conhecimentos técnicos, os responsáveis não se dirigem a ninguém: dão um jeito. Ninguém saberá em que setor — geralmente é na vida privada — terão recolhido algumas migalhas de tempo abandonadas; ninguém saberá que aumentam indefinidamente a intensidade de seu esforço para reduzir indefinidamente a duração da aprendizagem.

Mas podemos adivinhar o que não nos dizem. Para citar somente um caso, o comandante Ernesto Guevara é considerado homem de grande cultura e isso se nota; não se necessita muito tempo para compreender que atrás de cada frase sua há uma reserva de ouro. Mas um abismo separa essa ampla cultura, esses conhecimentos gerais de um médico jovem que, por inclinação, por paixão, dedicou-se aos estudos das ciências sociais, dos conhecimentos precisos e técnicos indispensáveis a um banqueiro estatal.

Nunca fala sobre isso, a não ser para pilheriar sobre suas mudanças de profissão; mas a intensidade de seu esforço se sente: se trai por todas as partes, menos pelo rosto tranquilo e relaxado.

Para começo de conversa, a hora de nosso encontro era insólita: meia-noite. E, no entanto, eu tive sorte: os jornalistas e visitantes estrangeiros são recebidos amável e longamente, mas às duas ou três da manhã.

Para chegar a seu gabinete tivemos que cruzar um vasto salão que só tinha móveis encostados nas paredes: algumas cadeiras e bancos. Em um canto havia uma mesinha com um telefone. Em todos os assentos havia soldados derrotados pelo cansaço; uns montavam guarda e outros dormiam, incomodados até no sono pela desconfortável posição.

Detrás da mesa, com o telefone, vi um jovem oficial rebelde, praticamente dobrado em quatro, com os longos cabelos negros caídos sobre os ombros, o boné cobrindo o nariz e os olhos fechados. Roncava suavemente e seus lábios seguravam com força a ponta de um charuto apenas começado: o último ato do adormecido havia sido acendê-lo, para se defender das tentações do sono.

Cruzando aquele salão tive, apesar de estar brilhantemente iluminado, a sensação de que havia subido num trem antes do amanhecer e penetrado num compartimento adormecido. Reconhecia os olhos avermelhados que se abriam, os corpos dobrados ou retorcidos, extenuados, o incômodo noturno. Eu ainda não estava com sono, mas através daqueles homens sentia a densidade das noites maldormidas.

Uma porta se abriu e Simone de Beauvoir e eu entramos: a impressão desapareceu. Um oficial rebelde, coberto com uma boina, me esperava. Tinha barba e os cabelos longos como os soldados da antessala, mas seu rosto liso e disposto me pareceu matinal. Era Guevara.

Saíra do banho? Por que não? O certo é que começara a trabalhar cedo na véspera, almoçado e comido em seu escritório, recebido visitantes e esperava receber outros depois de mim. Escutei que a porta se fechava às minhas costas e me esqueci do cansaço e da noção da hora. Naquele escritório não entra a noite; para aqueles homens em plena vigília, ao melhor deles, dormir não parece uma necessidade natural, mas uma rotina de que praticamente se livraram.

Não sei quando descansam Guevara e seus companheiros. Suponho que depende, o rendimento decide; se cai, param. Mas de todas as maneiras, se buscam em suas vidas horas vagas, é normal que as arranquem aos latifúndios do sono.

Imaginem um trabalho contínuo, que compreende três turnos de oito horas, mas que faz catorze meses que é realizado por uma só equipe: eis o ideal que quase alcançaram aqueles jovens. Em 1960, em Cuba, as noites são brancas: ainda se distinguem dos dias; mas é só por cortesia e consideração ao visitante estrangeiro.

Mas apesar de suas extremadas considerações, não podiam fazer outra coisa que reduzir ao mínimo possível as horas imbecis que eu dedicava ao sono: ia dormir muito tarde e me acordavam muito cedo. Eu não o sentia: pelo contrário, com frequência me chateava, por tarde que fosse, ir dormir quando eles velavam, ainda que tivessem acordado cedo; por saber que me haviam precedido em várias horas. É que era impossível viver naquela ilha sem participar da tensão generalizada.

Aqueles jovens rendem à energia, tão amada por Stendhal, um culto discreto. Mas não ache que falam dela, que a convertem em teoria. Vivem a energia, a praticam, talvez a inventem; ela se comprova em seus efeitos, mas não em palavras. Sua energia se manifesta.

Para manter dia e noite a alegria limpa e clara da manhã em seu gabinete e em seu rosto, Guevara necessita de energia. Todos a necessitam para trabalhar, mas mais ainda para apagar, à medida que se apresentam, as pegadas do trabalho e as marcas do sono. Não se recusam a falar de seu nervosismo, mas não o deixam mostrar-se: levam o controle de si mesmo até parecer, ou melhor, até sentir-se tranquilos. As coisas vão tão longe que empregam essa energia, convertida em sua segunda natureza, para tiranizar seu temperamento.

Fazem o necessário, todo o necessário, mais que o necessário; até o supérfluo. Já disse que desprezavam o sono; é necessário; por outro lado, não suportariam — e eu o concebo também — que se ocorresse uma agressão fossem surpreendidos na cama. Quem não os compreenderia? Quem não compreenderia que a angústia e a cólera diante dos atentados e sabotagens os mantém despertos mais de uma noite?

Mas eles vão além: quase chegam a repetir a frase de Pascal: "É preciso não dormir". Se diria que o sono os abandonou, que também emigrou a Miami. Eu só vejo neles a necessidade de ficarem despertos.

(...)

De todos esses noctâmbulos, Castro é o mais desperto; de todos esses jejuadores, é Castro quem pode comer mais e jejuar mais tempo.

Falarei de sua loucura: a sorte de Cuba. Mas, de todas as maneiras, os rebeldes são unânimes nisso: não podem pedir esforços ao povo se não são capazes de exercer sobre suas próprias necessidades uma verdadeira ditadura. Trabalhando 24 horas seguidas e mais; acumulando noites insones; mostrando-se capazes de esquecer a fome, fazem retroceder para os chefes os limites do possível. Semelhante triunfo provisional: essa imagem, presente em todas as partes, da revolução atuando sempre, alenta aos trabalhadores da ilha a liquidar definitivamente o fatalismo e a conquistar-se todos os dias, sobre o velho inferno irrisório da impossibilidade.

(...)

Levando as coisas ao limite, se poderia dizer que o rebelde obriga o agressor a escolher entre duas derrotas: ou o reembarque das tropas ou o genocídio. Qual é a pior? Ofereço à escolha. Sob o ponto de vista rebelde, dou como exemplo essas palavras de Castro:

— O bloqueio é a arma menos nobre: se aproveita da miséria de um povo para submetê-lo pela fome. Não aceitaremos isso — prosseguiu. Nos negamos a morrer nessa ilha sem levantar um dedo para nos defendermos ou para devolver os ataques...

— Que fariam vocês? — perguntei.

Sorriu tranquilamente:

— Se querem começar pelo bloqueio — respondeu –, não podemos impedi-los. Mas podemos fazer que o abandonem pela verdadeira guerra, pela agressão a mão armada — e o faremos, garanto. Mais vale morrer ferido na guerra do que de fome em casa.

Qual era a onda da Libelu?

Me enterrem com os Trótskistas
na cova comum dos idealistas
onde jazem aqueles
que o poder não corrompeu
me enterrem com meu coração
na beira do rio
onde o joelho ferido
tocou a pedra da paixão

Paulo Leminski, *Para a liberdade e luta*

O nome é simpático. Lembra o apelido carinhoso de uma moça, a palavra amor em alemão, a corruptela de "libelo", um poema concreto. Liberdade e Luta: Libelu. A corrente de inspiração Trótskista seduziria centenas de jovens em meados da década de 1970, quando o movimento estudantil começava a renascer no Brasil, ainda durante a ditadura militar. Eu não alcancei a Libelu. Na minha época de estudante, mais de uma década depois, só havia duas opções: ser do PCdoB (Viração, a quem chamávamos, na Bahia, de "cururus") ou anarquista. Gostei mais dos anarquistas, eram mais divertidos e não proibiam a maconha.

Curioso é que, se não conheci nenhum na faculdade, hoje em dia, para qualquer lado para onde olho, vejo um ex-Libelu — à esquerda, mas também à direita. Talvez você não saiba, mas pode haver um Libelu a seu lado neste momento, no jornalismo, nas trincheiras partidárias ou em uma atividade sem nenhuma relação com a política. O ex-ministro Luiz Gushiken (1950--2013) foi da Libelu, assim como o também ex-ministro Antonio Palocci e Clara Ant, assessora de Lula. Markus Sokol, candidato à presidência na sucessão à direção nacional do PT, é outro ex-Libelu.

Na *Folha de S.Paulo*, onde trabalhei muitos anos, eu nem sabia, mas estava cercada por ex-militantes do braço estudantil da OSI (Organização Socialista Internacionalista), que tinha como um de seus dirigentes Luis Favre. Caio Túlio Costa, que foi secretário de redação e *ombudsman* do jornal, Matinas Suzuki, Laura Capriglione, Mario Sérgio Conti e o crítico de gastronomia Josimar Melo, entre outros, foram da Libelu. À frente da *Folha* em sua renovação, no início da década de 1980, Otávio Frias Filho empregou muitos militantes de esquerda no jornal, que tinha, talvez até por isso, um perfil muito menos conservador do que hoje. Além dos ex-Libelu, havia também, ocupando postos importantes na redação, ex-militantes do MR-8 e da Refazendo. Nesta época, a *Folha*, que apoiara o golpe militar, fez campanha pelas Diretas Já.

Por que havia tantos jornalistas na Libelu? Ao que tudo indica, porque a ECA (Escola de Comunicação e Artes) da USP estava tomada por eles. Caio Túlio, que deixou a militância ao sair da faculdade, em 1979, foi o responsável por levar muitos companheiros de tendência para a *Folha*.

"O Otávio não era simpatizante da Libelu, mas gostava da 'disciplina' dos Trótskistas. Ele era simpatizante da Vento Novo, uma corrente *(de centro)* que havia na São Francisco", conta Caio Túlio. "Fui o primeiro Libelu contratado para começar a renovação do jornal, em 1981. E fui trazendo os melhores jornalistas que conhecia, o Matinas, o Conti (que estava confinado na Câmara dos Vereadores como setorista e eu trouxe para a Ilustrada e o Folhetim), o Rodrigo Naves, a Renata Rangel, o Zé Américo, a Cleusa Turra, o Bernardo Ajzenberg, o Ricardo Melo. Muita gente, não me lembro de todos... Cada um foi trazendo outros. Eram bons, muito bons."

Em março de 1982, Cleusa Turra, hoje diretora do núcleo de revistas da *Folha*, chegou a dar entrevista para as páginas amarelas da *Veja* como militante do PT e da Libelu eleita presidente do DCE da USP. "Não conheço nenhum militante do Liberdade e Luta que tenha aderido ao PDS. Não existe nenhuma lei segundo a qual os jovens devam ser contestadores, e os velhos, acomodados", afirmava Cleusa, aos 23 anos, apelidada "Pituca" no movimento estudantil. "Se tivesse que escolher entre ter uma cabeça como a do governador Paulo Maluf e não ter cabeça nenhuma, preferiria morrer sem juízo, lutando pelos meus direitos."

Paulo Moreira Leite, que foi redator-chefe da *Veja*, dirigiu a *Época* e hoje conduz seu próprio *blog*, também foi Libelu e se mantém progressista. Porém, ao contrário do que previa Cleusa, uma parte dos ex-Libelu acabaria descambando para a direita mais feroz, como o sociólogo e colunista do *Estadão* Demétrio Magnoli. Com o nascimento do PT, em 1979, muitos dos seus quadros migraram para o partido, embora, num primeiro momento, tenham acusado o metalúrgico Lula de ser "pelego". Alguns foram integrar a corrente O Trabalho com Sokol, e outros, como Palocci e Clara, ficaram no entorno de Lula na Articulação. Outros, ainda, como os jornalistas citados, simplesmente deixaram a militância de esquerda.

A Libelu foi, de certa forma, uma corrente à frente de seu tempo. Primeiro por retomar o *slogan* "Abaixo a ditadura" antes de todo mundo; depois, por criticar o autoritarismo e as barbaridades dos regimes comunistas muitos anos antes da queda do muro de Berlim ou da Perestroika. Trótskista, a OSI, a quem a Libelu era vinculada, já nasceu fazendo a crítica ao stalinismo.

Apoiava os esforços de democratização do socialismo no Leste europeu, denunciou a invasão da Checoslováquia pelas tropas do Pacto de Varsóvia e, mais tarde, fez campanha de apoio ao sindicato Solidariedade, na Polônia. Sua visão era de que, sem uma revolução política na União Soviética, haveria uma regressão econômica através da restauração do capitalismo. E não deu outra.

Apesar de Trótskistas, os militantes da tendência não toleravam o culto à personalidade em figuras como o líder chinês Mao Tsé-Tung. "Os Libelu eram muito severos em relação a Mao, ao Livro Vermelho, à revolução cultural, ao culto à personalidade, ao autoritarismo, aos assassinatos etcétera e tal", conta Caio Túlio Costa. "Mas teve um caso engraçado. Na tentativa de criticar o culto à personalidade, fizemos uma edição do (jornal) *Avesso* cuja capa era o Mao, num dos retratos do realismo socialista da época, grandão, o povo em reverência, abaixo, e inserimos uns versos de Neruda para distanciar o leitor: 'Só o espanto era invisível, foi a proliferação daquele impassível retrato que incubou o desmedido'. Evidentemente que ninguém entendeu o espírito crítico atrás da foto e do poema, e a edição esgotou. Contrariamente a todos os nossos intentos, os maoistas fizeram da capa pôster de parede..."

O hino da Libelu era uma versão da canção entoada no filme *O incrível exército de Brancaleone*, de Mario Monicelli, com uma sacada divertida: "Branca, Branca, Branca, Leon, Leon, Leon". Em homenagem a, claro, Trótski. É difundidíssima a versão de que as festinhas da Libelu eram as mais animadas do movimento estudantil e com as garotas mais bonitas, e que havia certa liberação no que tange à maconha, ao contrário das demais tendências de esquerda do período. "A Libelu era um curioso e original amálgama político-comportamental, em que o Trótskismo convivia com o *rock*, com o fuminho e com as meninas do pós-queima-dos-sutiãs", escreveu Matinas Suzuki na *Folha de S.Paulo* em 1997.

Mas essa concepção festiva não encontra unanimidade entre outros ex--Libelu. "Isso é lenda. As festas da Refazendo eram tão boas quanto às da Libelu. Todos eram muito liberais quanto aos costumes. Não havia Aids. As pessoas estavam sempre muito juntas, fazendo política quase que 24 horas por dia! Eram poucos os que saíam para 'a noite'. As festas eram nas casas ou repúblicas das mesmas pessoas", conta Caio Túlio. "Droga era considerada 'oficialmente' alienante, mas muitos, muitos, a usavam. Não acredito que a Libelu fosse mais ou menos tolerante do que as outras correntes, em que sempre havia alguém que usava droga, em geral a maconha. Entre a liderança, no entanto, na Libelu, eram pouquíssimos os que usavam drogas."

"Eu sempre brinco e digo que isso é 'calúnia' dos adversários. Fazíamos grandes festas públicas, sempre para arrecadar fundos para o grupo. Havia festas mais fechadas, mas longe do que o mito criou. Sobre os costumes, sim, éramos o grupo mais avançado. Havia respeito e luta pela igualdade de gênero, todos nos considerávamos feministas, defensores da livre orientação sexual", diz Adeli Sell, ex-vereador do PT-RS e ex-Libelu. "A gente não tinha uma visão moralista do uso das drogas, a restrição era por conta da repressão, porque usando drogas era mais fácil 'cair'. Até sem usar, muitas vezes a polícia enxertava drogas para uma prisão. Mas muita gente continuava 'dando uns pegas' em baseado. Nunca vi nem ouvi falar de outras drogas na época."

"As festas eram boas, em primeiro lugar, porque os militantes eram jovens. Hormônios em altíssima voltagem, num ambiente de nenhum moralismo. Adversária do dirigismo cultural e de qualquer coisa que pudesse lembrar o chamado realismo socialista, a OSI/Libelu não estimulava o preconceito contra o *rock*, o que era muito frequente naquela época. O pessoal gostava de MPB e ouvia muito Rita Lee, Mutantes e mesmo sucessos estrangeiros. Havia espaço para Cartola e Paulinho da Viola, também. Certa vez, *Baby* Consuelo, em fase pré-pentecostal, naturalmente, foi a estrela de um dos *shows* promovidos pela Libelu. Mas ela não era simpatizante. "Cobrou cachê", conta um ex-militante que prefere se manter na clandestinidade até hoje. Segundo ele, a maconha não era nada tolerada e teve até dirigente expulso por ser flagrado puxando fumo. "Nunca se aceitou a noção da contracultura de que as drogas poderiam auxiliar na formação da consciência das pessoas. A visão era de que a consciência se forma por uma compreensão racional da política e da história. As drogas também eram consideradas portas de contato com a polícia e criminalidade, o que deveria ser evitado a qualquer custo."

"As festas eram ótimas, sim. Nunca pensei que alegria e compromisso social fossem incompatíveis. Mas em outras organizações eram abominadas e seus militantes tinham vida de monastério", lembra Luis Favre. "Diziam que as mulheres eram mais bonitas, mas o que em realidade acontecia é que elas tinham destaque na disputa política estudantil. Ao mesmo tempo, a juventude vivia sob o impacto do maio de 1968 na França, da primavera de Praga, e a Libelu era das poucas que se identificava com ambos os processos, pois condenava não só o capitalismo, como aquele sinistro sistema pretensamente 'socialista'." Sobre as drogas, diz Favre, "a condenação era muito estrita na corrente Trótskista. Não se brincava com isso, ainda mais no período militar".

O jornalista Alex Antunes, também ex-*Folha* e ex-Libelu, é peremptório: "As festas eram as melhores mesmo. Por uma questão simples: o povo das outras tendências, particularmente os cururus (PCdoB), acreditavam numas teses culturais como a do nacional e popular, esse tipo de bobagem de viés realista-socialista. Só nas festas da Libelu tocava Stones e outras bandas de *rock*, esse é um fato; e as pessoas não implicavam nada com Caetano e Gil, como acontecia naquela época de enfrentamentos como o da 'tanga do Gabeira'. E nós da ECA ainda metemos o *punk* e *pós-punk* na parada. Não tinha essa abertura estética em nenhuma outra tendência. Quanto às garotas, ou melhor, à liberalidade de costumes, era na base da Libelu, particularmente em escolas como a ECA e a FAU, onde as coisas aconteciam. Foi o primeiro lugar onde eu vi homem cumprimentar homem com selinho. E as garotas eram lindas mesmo, muito autossuficientes e estilosas *hippinhas*".

Pergunto aos ex-militantes algo que me deixa particularmente curiosa: como é que alguns membros da vanguardista Libelu foram parar na direita mais reacionária?

Paulo Moreira Leite:

— Acho que em anos recentes os grupos conservadores recrutaram militantes em todas as correntes da esquerda brasileira. Possivelmente por causa de seus laços com a ditadura, nossos conservadores nunca tiveram meios de formar seus próprios quadros civis para atuar numa democracia. O PPS, que era o antigo Partido Comunista, foi em bloco para a direita e hoje se dedica a combater o PT. É sua razão de ser. Muitos quadros do PSDB que fizeram a privatização de estatais no governo de Fernando Henrique Cardoso vieram da Ação Popular e do PCB. Você encontra antigos militantes da ALN de Marighella entre pessoas que são antipetistas 24 horas por dia. Os principais dirigentes da OSI ajudaram a fundar o PT e quem continuou em sua atividade política na vida adulta continua neste partido. A organização teve uma divisão importante na década de 1980, quando eu já não era mais militante, mas todos ingressaram no PT. Antes, outros fundaram o PCO. Mas é certo que alguns quadros, que foram militantes na juventude, seguiram outra perspectiva na vida e se tornaram intelectuais orgânicos de grupos conservadores. Não vejo nada de muito especial nisso. Não foi a regra. Alguns casos você pode explicar pelos confortos que o conservadorismo pode proporcionar. Ele dá prestígio, promove as pessoas. Mas não só. O país se democratizou, o PT se consolidou. Ocorreram mudanças muito importantes no mundo, a começar pela queda do Muro de Berlim e tudo o que ela representou. Apareceram questões e desafios diferentes para todo mundo.

Adeli Sell:
— Bem, aqui em Porto Alegre tem um aguerrido militante que foi para posições bem à direita, como sei do caso do comentarista da Band. Mas de resto não sei se foram para a direita. Deve ter mais alguns, mas a maioria dos que conheço está no PT. Alguns foram para o PSOL, o que lastimo profundamente, pois foram esses quatro ou cinco militantes que foram fundamentais para a minha entrada na Libelu e minha formação política. Pelo que vejo aqui e dos que encontro espalhados pelo país, a maioria continua com posições avançadas, de esquerda, militando ativamente.

Luis Favre:
— Em todas as organizações juvenis encontramos casos de indivíduos que evoluíram para o extremo oposto de suas primeiras convicções. Mas, pelo contrário, o mais notável no caso da Libelu é que uma grande parte de seus quadros participaram e participam ainda hoje da CUT e do PT. E muitos dos que se afastaram da atividade militante ou política continuam do mesmo lado, em termos gerais,

dos ideais que abraçaram na juventude. Encontrei muitos deles acompanhando e despedindo-se do nosso querido Luiz Gushiken.

Caio Túlio Costa:

— Não foram só integrantes da Libelu que mudaram de posição radicalmente na vida. Alguns ex-Libelu chamam a atenção porque eram todos jovens Trótskistas, de extrema-esquerda, e se transformaram em pessoas bastante conservadoras. Acho que esses fenômenos fazem parte do movimento normal da vida; não me assusto com isso, não. A rigor, na realidade, veja bem, eles não mudaram, continuam extremistas...

Uma vez Libelu, sempre Libelu? Há algo da corrente que permanece nos ex-militantes até hoje?

Caio:

— Em alguns, certamente. A formação política rigorosa (muita leitura, grupos de estudo, reuniões intermináveis, assembleias estudantis, luta política, alinhamento internacional, ceticismo em relação às instituições "burguesas") deixa marcas profundas. Gushiken, por exemplo, ou alguns dos líderes de então, como o Markus Sokol ou o Julio Turra. Estes serão sempre Libelus autênticos.

Adeli:

— Tem uma liga, uma solidariedade, um profundo companheirismo, carinho, muitas e muitas identificações. Tanto é assim que pretendemos ainda neste ano fazer a grande festa da Libelu. Com a morte do Gushiken, todos impactados com a grande perda, achamos que devemos nos encontrar e festejar o que fizemos.

Luis:

— Uma parte importante da Libelu conseguiu superar suas limitações, sua estreiteza ideológica, seu sectarismo e intelectualismo, em parte desconectado da realidade, para, junto a outros militantes, de outras origens, com outra história, construir uma central sindical e um dos maiores partidos de esquerda do mundo. Ter contribuído um pouquinho no que essa central sindical e esse partido aportou ao progresso social do Brasil já é fonte de satisfação para os que participamos dessa "nossa" história. Mudamos muito, sem mudar de lado.

Paulo:

— A militância política é uma experiência única na existência, faz parte de sua memória para sempre. Acontece com a OSI ou outras organizações. Ninguém passa impunemente por isso. Você entra em contato com forças absolutas, tem a nítida sensação, correta ou não, de que está mexendo na roda da história. Dedica as melhores horas de seu dia e possivelmente alguns dos melhores anos de sua vida para construir uma sociedade diferente. Os livros que você lê, os filmes que assiste e até seu trabalho como cidadão comum têm outro sentido. Hoje você pode até achar que estava sonhando, mas aquele momento foi maravilhoso. Os projetos podem ter dado errado, a vida pode ter tomado outro rumo e muitos amigos de antes até se mostraram uma decepção, mas você aprendeu ali algumas verdades que vão te acompanhar pelo resto da vida.

Este post *é uma homenagem do* blog *a Luiz Gushiken (1950-2013), ex-Libelu, homem de esquerda honrado e bacana a quem a imprensa brasileira deve um pedido de desculpas por tê-lo acusado, durante anos, injustamente.*

#MUNDO

Os espanhóis vão virar "sudacas"?

Quando eu tinha vinte e poucos anos e queria morar um tempo no exterior, estudando, muita gente no Brasil e na América do Sul queria fazer o mesmo, mas para fugir da crise econômica, da miséria, da desigualdade social, da inflação, de países às voltas com a austeridade imposta pelo FMI (Fundo Monetário Internacional), inclusive o nosso. Queriam migrar para o "primeiro mundo", onde não tinha nada disso, para ter uma vida melhor. Chegando lá, eram alvo de preconceito e se sujeitavam aos piores trabalhos para viver seu sonho de "melhorar" de vida.

Em 1995 finalmente consegui juntar um dinheirinho para estudar na Espanha, onde fiquei dois anos. E me impressionava cotidianamente com a maneira como os sul-americanos, migrantes, eram tratados pelo conservadorismo espanhol, sobretudo os que têm traços indígenas, chamados de forma depreciativa de "sudacas", corruptela de sudamericanos. Nunca fui maltratada, até por passar quase anônima entre os espanhóis, com meus traços supostamente parecidos com os deles. Mas ouvi, sim, muitas vezes a pergunta: "Depois que você terminar o curso, vai continuar aqui?". Como quem diz: "Vai continuar aqui disputando nossos empregos?". Não, eu não fiquei.

Não sinto alegria nenhuma com a crise econômica pela qual passa a Europa, sobretudo porque amo a Espanha e desejo tudo de bom para o país.

Mas não deixa de ser irônico que os espanhóis e muitos europeus estejam vivendo agora uma situação muito parecida com a nossa então. Quem diria! Nós, os "sudacas" que alguns queriam ver expulsos de lá, talvez estejamos hoje em melhor situação do que eles. E muitos, muitos espanhóis — 117 mil de 2011 para cá, segundo o jornal *El Pais* — estão deixando a terra natal para buscar uma vida melhor em outros países, exatamente como os "sudacas" faziam. Mesmo levando em consideração os africanos, que continuam indo para lá, a Espanha já possui um saldo migratório negativo: mais gente sai do que entra.

O cúmulo da ironia: o principal destino dos espanhóis é a América Latina. De acordo com um estudo da União Europeia, o fluxo de migrantes entre os países europeus e a América Latina se inverteu nos últimos anos. Cada vez mais cidadãos da Europa vêm à América Latina em busca de trabalho, e não o contrário. A campeã de "foragidos" é a Espanha, seguida pela Alemanha, Holanda e Itália. Os países que mais recebem os europeus são o Brasil, a Argentina, a Venezuela e o México.

Particularmente triste é descobrir que a Europa (e também os EUA) copia do outrora "terceiro mundo" seu pior: a desigualdade social. Dados do FMI indicam que a distância entre ricos e pobres aumenta com a crise — imagina se os ricos deixariam de ganhar dinheiro com ela. Nos EUA, o 1% da população que ganha mais dinheiro e detinha 10% da riqueza do país, nos últimos trinta anos passou a deter 20% da riqueza. Mas continuemos com o exemplo da Espanha. Prognósticos do FMI citados pelo jornal *ABC* apontam que a terra de Miguel de Cervantes só voltará a crescer em 2018. Mas, neste meio tempo, o número de milionários crescerá 110%! Ou seja, não há dúvida que lucram com a miséria alheia. Só a América Latina e algumas regiões da África se salvam da tendência de crescimento da desigualdade social no mundo... Não é incrível?

A Espanha já é detentora dos infelizes títulos de campeã em desigualdade social entre os países da eurozona, de fracasso escolar e de desemprego entre os jovens. Um em cada três jovens entre quinze e vinte e quatro anos deixaram os estudos antes de acabar o nível secundário, segundo o estudo da Unesco "Educação Para Todos", suplantando a média europeia, que é de um em cada cinco. Os serviços sociais já atendem 8 milhões de necessitados e a Cruz Vermelha lançou, pela primeira vez, uma campanha para arrecadar fundos para necessitados do próprio país.

Talvez tenha chegado o momento de os espanhóis e os europeus em geral tentarem descobrir respostas para seus problemas econômicos não no primeiro mundo de Angela Merkel, dos EUA ou do FMI, mas nos países emergentes. De crise, nós, sudacas, entendemos.

O valente Uruguai aprova a legalização do aborto

O Uruguai, esta aldeia de irredutíveis, dá ao mundo lições de modernidade. Aprovou o casamento *gay*, a legalização da maconha e seu ex-presidente, Pepe Mujica, abriu mão da tal liturgia do cargo para ser um mortal como qualquer um de nós. Por fim, os uruguaios deram mais um passo contra o conservadorismo ao aprovarem a legalização do aborto no país até doze semanas — ou até catorze semanas nos casos de estupro.

Qualquer pessoa sensata, não digo nem progressista, é capaz de reconhecer que o aborto é uma questão de saúde pública. Ao mesmo tempo em que é proibido, continua a acontecer e a vitimar milhares de mulheres. Fechar os olhos a esta realidade por razões religiosas é de um egoísmo ímpar. Mas o que mais me chamou a atenção na votação apertada que aprovou o aborto no Uruguai (50 votos a 49) foi a sensibilidade com que os homens do Congresso do país trataram do tema ao longo das 13 horas que durou a sessão.

Houve choro e confissões. O deputado Julio Battistoni, da governista Frente Ampla, pela legalização, disse ter sido "cúmplice" de um delito por ter ajudado uma antiga colega a conseguir o dinheiro para abortar numa clínica clandestina. Houve baixas. Do lado da Frente Ampla, o deputado Darío Pérez pediu para ser substituído por seu suplente porque não podia votar a favor por razões pessoais: perdeu um filho aos quatro meses de gravidez da mulher.

"Vou sair da sala e vai entrar meu companheiro. Não posso levantar a mão para votar este projeto, não o permite meu estado espiritual. Não levanto a mão por Ismael, meu filho que não nasceu", disse, visivelmente emocionado e com a voz embargada. Saiu do plenário chorando. Mas, embora seja pessoalmente contra, Pérez, que é médico, fez questão de dizer que "entende" os argumentos a favor da legalização. Na oposição também houve uma baixa: o colorado Fernando Amado se declarou a favor do aborto e solicitou a substituição pelo suplente para não desobedecer às ordens do partido, "com um sentimento de dor como cidadão".

Discursou Amado: "Realmente acreditei que de uma vez por todas seríamos capazes de deixar para trás a hipocrisia e equilibrar com propriedade a moral privada com a pública. Há dois tipos de sociedades que condenam o aborto: as que têm um poder religioso tão forte a ponto de submeter as liberdades ao dogma, como as muçulmanas, ou as democráticas, porém hipócritas, como a nossa . Dou como perdida essa batalha, mas seguirei lutando". Foi cumprimentado pela deputada socialista Daisy Tourné: "Bem amado".

Quando se poderia esperar que um membro de partido de oposição fosse capaz de uma postura dessas? O Brasil é grande e rico, mas ainda tem muito chão pela frente para alcançar o pequeno e valente Uruguai.

O medo do subcomandante diante da agulha

Considero o subcomandante Marcos, porta-voz do Exército Zapatista de Libertação Nacional, uma das mais fascinantes figuras da esquerda mundial. Quero ler mais sobre ele e, quem sabe algum dia, entrevistá-lo. Guerrilheiro e escritor, tem mais de vinte livros publicados, inclusive histórias para crianças. E é disso que quero falar.

Do pouco que li sobre Marcos, tem uma informação que me deixou feliz e ao mesmo tempo estupefata. Aquele mexicano valente confessa ter pavor de injeção, igualzinho a mim. Ele diz que seu colega, o comandante insurgente Moisés, costuma apresentá-lo como "parte das crianças zapatistas". "Talvez, para desafiar o calendário, os zapatistas cumprem anos ao contrário, e em lugar dos 515 anos que tenho na minha certidão de nascimento, cumpri cinco anos agora e entrei no sexto, ou seja, tenho sete anos.

Pode ser, depois de tudo que demonstrou o zapatismo, que muitas coisas que pareciam impossíveis tornam-se possíveis com imaginação, inventiva e audácia. Em defesa do meu absurdo calendário posso dizer que com os meninos e meninas compartilho a fobia às injeções e o gosto por contos e histórias", escreveu o subcomandante.

Em uma carta escrita ao amigo René Villanueva, em 2000, Marcos se estende sobre o tema "medo de agulhas". Em tom de protesto, o subcomandante diz não entender por que ainda hoje existem as injeções. Eu também não entendo.

> "Irmão René:
>
> Por aqui ficamos sabendo que você está doente. Nestas terras, quando alguém tem um parente (porque você é um parente de todos nós, zapatistas) que está doente, temos o costume de fazer com que lhe ministrem todos os remédios possíveis (e os impossíveis também) para que fique curado. Como estar doente é algo comum e frequente nestas montanhas, por todos os lados há um vaivém de receitas que abundam em xaropes, chás, poções, comprimidos, vapores e, horror!, injeções. (...)
>
> Como você é nosso irmão, não podemos dar-lhe qualquer coisa. Muito menos se esta 'coisa' é uma injeção, este sofisticado instrumento de tortura que, apesar de estarmos prestes a entrar no terceiro milênio, não tem sido proibido por nenhuma organização mundial de nenhum tipo. Por aqui, por exemplo, Olivio propôs que uma palavra de ordem para a marcha das mulheres zapatistas do próximo dia 8 de março seja 'Chocolates sim, injeções não!'. Eu falei para ele que não rimava, e ele me respondeu que as injeções não rimam com nada mesmo e, ao contrário, 'chocolates' rima com 'brinquedos' (no original: 'chocolates' rima com *juguetes*).
>
> Não, senhor, não podemos te dar injeções. Claro que tampouco podemos te dar os chocolates. Não só porque Olivio os devorou, mas também porque com certeza chegariam todos derretidos. Por isso, consultamos nosso livro especial de medicina que se chama *Remedios y Recuartos* e encontramos algo que, ainda que não te cure, com certeza não vai te deixar pior (o que nestes tempos de 'medicina moderna' já é uma vantagem): um abraço! Todos e todas nós te mandamos um abraço. Pode ser aplicado ao seu critério, mas

não abuse, senão vai acabar causando dependência e abraços como aquele que te mandamos existem muito poucos.

(...)

Até mais. Saúde e não esqueça que os abraços devem ser como os olhares: amplos e limpos.

Das montanhas do Sudeste Mexicano
Subcomandante Insurgente Marcos
México, fevereiro de 2000"

Foi o maior bafafá no México quando veio a público a notícia de que o subcomandante Marcos é contrário às injeções. Entidades médicas protestaram que ele estava prestando um desserviço. Pois eu acho belo quando homens feitos confessam as suas fraquezas. Ainda mais quando isso vem de um guerrilheiro que vive nas selvas profundas.

O assassinato de Carrero Blanco: quando a violência justifica a violência

Não se sabe até hoje quantas pessoas foram torturadas, mortas ou desapareceram sob o regime ditatorial de Francisco Franco, na Espanha, que durou nada menos que trinta e nove anos. Quase quatro décadas em que o país ficou isolado do mundo, sob o jugo de um genocida. Fala-se entre 150 mil e 200 mil desaparecidos, o que deixa a Espanha na triste condição de segundo país do mundo com maior número de desaparecidos, atrás apenas do Camboja. A terra natal do poeta Federico García Lorca, ele próprio um desaparecido da guerra civil, nunca passou sua história a limpo porque, em 1977, como fez o Brasil, deu uma anistia geral a todos, sem punições.

Em novembro de 2013, a Anistia Internacional denunciou o governo de direita espanhol à ONU por se recusar a investigar as dezenas de milhares de desaparecimentos durante a guerra civil e a ditadura de Franco. O Comitê de Direitos Humanos das Nações Unidas já conclamara o país, em 2008, a rever sua lei de anistia. O governo do PP se resumiu a criticar a ONU por "prestar excessiva atenção no passado". A Lei de Memória Histórica aprovada pelo PSOE no governo José Luis Zapatero foi abandonada após a eleição de Mariano Rajoy, em 2011. Desde que assumiu o poder, Rajoy reduziu os recursos para as atividades de localização e exumação dos corpos praticamente a zero.

Dos poucos detalhes que se sabem sobre aquele período sombrio, veio à tona, por exemplo, a especial predileção do regime pela tortura de mulheres, alvo do documentário *Del olvido a la memoria* (Do esquecimento à memória), de 2007. Dirigido por Jorge Montes Salguero, o filme descreve o sofrimento das presas do franquismo, baseado nas gravações feitas por uma ex-militante do Partido Comunista, uma das encarceradas injustamente pelo regime.

Em dezembro de 1973, o regime franquista estava em seus estertores — o ditador morreria dois anos depois. A redemocratização do país se avizinhava, mas esbarrava na figura do almirante Luís Carrero Blanco, presidente de governo e apontado como o sucessor de Franco. Supunha-se que Carrero Blanco, que se situava ideologicamente ainda mais à direita que o ditador, fosse capaz de atrasar os planos de trazer de volta a monarquia e iniciar a transição. Foi quando o grupo separatista basco ETA planejou e concretizou uma das mais espetaculares ações terroristas da história.

Sabia-se que Carrero Blanco, católico fervoroso, ia todas as manhãs, em seu Dodge Dart negro, à igreja de São Francisco de Borja, acompanhado do motorista e de um policial. O que ele não desconfiava é que na metade do caminho, sob um bueiro da rua Claudio Coello, no bairro de Salamanca, em Madri, os separatistas haviam colocado mais de 75 kg de explosivos repartidos em forma de T. Por volta das 9h30 do dia 20 de dezembro de 1973, no exato momento em que Carrero Blanco passava, os etarras acionaram a bomba que fez o automóvel voar 35 metros, passar por cima de um edifício e cair no pátio de um convento.

Os três ocupantes do veículo morreram. Em 1979, o cineasta italiano Gillo Pontecorvo filmou uma versão da história, *Operação ogro*, nome do plano elaborado pela ETA.

Longe de ter sido lamentado, atribui-se ao assassinato de Carrero Blanco pelos separatistas a interrupção da ditadura franquista, com a eliminação de seu possível sucessor. Nas ruas do país circulava a frase cruel: "Arriba Franco, mais alto que Carrero Blanco!". Para muitos que viveram o período, a morte de Carrero significou a morte do franquismo, e chegou a ser celebrada pela oposição no exílio. O próprio Franco reagiria de maneira sinistra, com uma frase nunca explicada em seu discurso de Natal, dias depois: "Há males que vêm para o bem".

Hoje circulam algumas teorias em torno do assassinato. Uma delas assegura ter havido participação da CIA no atentado, porque o governo dos EUA teria perdido o interesse na continuidade da ditadura. Os indícios em favor desta tese seriam a inexperiência dos etarras que executaram o plano, jovens com menos de vinte e cinco anos de idade. O chefe do grupo, José Miguel Beñaran Ordenãna, o Argala, seria morto exatamente da mesma maneira cinco anos depois: em 21 de dezembro de 1978, um capitão da guarda civil colocou dinamite embaixo de seu Renault, no país basco francês, e o fez também voar pelos ares. Olho por olho, dente por dente. Todos os envolvidos no assassinato já haviam sido anistiados.

Ninguém é a favor de atentados, de matar gente. Considero injustificáveis os atos terroristas (aí, sim) perpetrados pela ETA após a restauração da democracia na Espanha — alguns deles covardes, como o sequestro e o assassinato de Miguel Ángel Blanco, em 1997. O cessar-fogo definitivo da ETA só veio em 2011. Mas eliminar o sucessor de um ditador genocida não pode ser considerado condenável naquele momento, porque o regime era infinitamente mais condenável. Contra o terror de estado é justificável, sim, que alguns optem por recorrer ao uso de força. Como seria possível reagir se não assim? Violência gera violência, e não se pode comparar o número de vítimas de um estado repressor e cruel com as ações isoladas de um grupo. O fato é que o assassinato de Carrero Blanco chamou a atenção do mundo para os horrores de um regime sanguinário. Aquele estrondo que abriu uma gigantesca cratera na rua ecoou por todas as partes como um grito de "Basta!" à ditadura.

No Brasil de hoje, para vilanizar a esquerda e os guerrilheiros que lutaram contra a ditadura militar, a direita trata de convencer as pessoas de que violência é sempre injustificável. Na democracia, concordo. Contra a tirania, depende. Acho que atualmente é possível fazer protestos inteligentes e pacíficos, mas quem sou eu para condenar quem recorre à violência por sentir na pele a discriminação, o preconceito, a repressão, a desigualdade, a miséria, a fome? Acaso não são também eles, vítimas cotidianas de violência?

Para "funcionar", o capitalismo necessita que as pessoas aceitem as injustiças pacificamente. Conta com isso. Aposta em encontrar a solução para a violência "numa 'educação' que os tranquilize e transforme em seres domesticados e inofensivos", como advertiu o papa. Mas as vítimas da violência e da opressão, seres humanos, podem reagir de duas maneiras: ou curvar a cabeça ou partir para o confronto. Assim foi na ditadura de Franco e assim foi na ditadura brasileira. Alguns foram embora, muitos se curvaram, e outros pegaram em armas. As três opções se justificam perfeitamente pelas circunstâncias. São legítimas.

Fidel Castro: amigo ou *muy amigo* de Allende?

Em novembro de 1971, dois anos antes do golpe militar no Chile, um avião soviético Ilyushin pousava no aeroporto de Santiago trazendo um visitante ilustre: o líder cubano Fidel Castro. Convidado pelo presidente Salvador Allende, Fidel chegava para uma visita oficial de dez dias. Por conta própria, estenderia a temporada chilena para vinte e quatro dias, percorreria todo o país, e acabaria se tornando um embaraço ao anfitrião por se intrometer na política local e fazer críticas ao modelo de socialismo pregado por Allende.

O chileno tinha então sessenta e três anos; o cubano estava, aos quarenta e cinco, no auge do vigor político. Era a primeira viagem do revolucionário cubano ao exterior em sete anos. Foi a mais extensa e polêmica estadia de um chefe de Estado na história do Chile, antes de qualquer coisa pelo inédito e ostensivo aparato de segurança. Enquanto Fidel percorria as avenidas da capital em carro aberto ao lado de Allende, dezenas de policiais e agentes seguiam atrás em outros veículos, com a porta aberta e revólveres em punho.

A rigor, a visita tinha a intenção de alavancar a popularidade de Allende, abalada pela crise econômica e pelo desabastecimento que já se avizinhava. Fidel vinha também com a missão de tentar unir a esquerda local, o que não conseguiu. Pelo contrário: suas críticas causaram desconforto em vários setores da Unidade Popular, a coalizão partidária de esquerda que elegeu Allende. E os custos da visita se mostrariam altos.

Há quem defenda que a estadia prolongada de Fidel e os ataques aos "fascistas", como se referia à oposição chilena, tenham aprofundado a radicalização da extrema-esquerda e dos estudantes e também a polarização no país que, em última instância, levaria ao golpe em 1973. Foi durante a visita do cubano que aconteceu o primeiro dos muitos *cacerolazos* (panelaços) da classe média contra o governo Allende. Em 1º de dezembro de 1971, 5 mil donas de casa de classe média e alta foram às ruas contra o desabastecimento e contra a presença de Fidel. "Fidel na caçarola, temperado com cebola", bradavam.

Não há dúvidas que Salvador Allende e Fidel Castro tinham visões opostas de revolução. A concepção de Allende sempre foi a de construir o socialismo pela via pacífica. Em 1967, Fidel duvidara publicamente dessa possibilidade, e chegou a chamar de mentirosos os que pregavam o socialismo sem luta armada.

"Os que afirmam, em algum lugar da América Latina, que vão chegar pacificamente ao poder estão enganando as massas", discursou o líder cubano na conferência da OLAS (Organização Latino-Americana de Solidariedade). Aparentemente, porém, havia se rendido ao modelo chileno com a vitória de Allende, em 1970. Mas, em território chileno, teve a ousadia de denominar de "processo revolucionário insólito" o que o presidente via como uma revolução pelas urnas.

Na entrevista que fez aos dois líderes durante a visita, o jornalista Augusto Olivares, que se mataria junto com o presidente Allende no Palácio de La Moneda naquele fatídico 11 de setembro, retrata uma conversa relaxada entre dois amigos. Porém, mesmo naquele bate-papo descontraído, saltam aos olhos as diferenças de pensamento dos dois líderes de esquerda. Um Salvador Allende de voz pausada, tranquilo, fala do crescimento da esquerda dentro da legalidade e da pluralidade partidária. Fidel, mais incisivo, insistia com a luta armada e o partido único. Allende, por sinal, não admitia uma só receita para chegar ao socialismo.

O papel que desempenharam os jornais chilenos durante a visita foi, como era esperado, o pior possível: demonizando e satirizando Fidel — até de homossexual o comunista foi chamado. A população, que havia ido às ruas em massa para receber o líder cubano (falou-se em um milhão de pessoas) aos gritos de "Fidel, amigo, o povo está contigo!", deu mostras de cansaço na despedida. Apenas 30 mil compareceram ao estádio nacional para ouvir Fidel falar pela última vez.

Em seu discurso de despedida, o cubano insinuou que o governo Allende deveria partir para a via armada contra a burguesia. "O fascismo trata de avançar e ganhar terreno nas camadas médias e tomar as ruas", advertiu. "Regressarei a Cuba mais radical do que vim, mais extremista do que vim." Nos anos seguintes, com o aprofundamento da crise no Chile, ofereceria diversas vezes a ajuda dos revolucionários cubanos. "Mil homens bem treinados poderiam decidir a situação em Santiago", escreveu Fidel ao amigo. Allende não quis. Após sua morte, em um discurso de homenagem, Fidel faria questão de mostrar que era a sua a postura *correta*: "Os revolucionários chilenos sabem que já não há nenhuma alternativa a não ser a luta armada revolucionária".

Aos olhos de hoje, pode-se dizer que a chegada do cubano foi, no mínimo, inoportuna, porque Allende começava, naquele momento, a enfrentar a reação da direita às suas reformas, e a presença de Fidel por quase um mês representou uma provocação desnecessária, fora de hora. Também colaborou para acentuar a divisão entre os chilenos e os temores de que o governo Allende estava tomando os rumos de Cuba. Para os que cuidavam de implantar a paranoia comunista na população foi um prato cheio.

A quarenta anos do golpe que derrubou Allende, a viagem de Fidel ao Chile suscita algumas perguntas sem resposta. O que teria acontecido se Fidel não tivesse ido ao Chile naquele ano? Teria Allende encontrado o caminho da união nacional em torno do seu projeto? A presença de Fidel acendeu um barril de pólvora ou o que fez apenas foi enxergar antes, e por isso falou repetidas vezes em "fascismo", que estava prestes a explodir? Allende errou por convidá-lo ou errou por insistir na via pacífica, recusando a ajuda armada que Fidel lhe oferecia? Talvez, naquele momento, tenha faltado, a ambos, cautela?

Mais importante: será que não é mesmo possível, como acreditava Fidel, chegar ao socialismo pela via pacífica, como sonhou Allende? Ou será que, de certa forma, Fidel atrapalhou o projeto de Allende?

Golpe no Chile: o papel do partido da imprensa golpista... deles

El Mercurio Miente. A faixa pendurada pelos estudantes da Universidade do Chile no dia 11 de agosto de 1967 é o equivalente chileno a "O povo não é bobo, abaixo a Rede Globo". Como acontece aqui, a frase vem à baila toda vez que se denuncia o conglomerado midiático número um do país pela manipulação da informação. Naquele ano, o centenário jornal da família Edwards assumiria uma posição radicalmente contra a possibilidade de reformas no país. Seis anos depois, conspiraria para derrubar o presidente eleito Salvador Allende.

Em editorial sobre a greve dos estudantes, *El Mercurio* apontou "inspiração comunista" no movimento estudantil, daí a faixa; as passeatas que tomavam o Chile pedindo reforma agrária eram obra de "agitadores". Desde o primeiro momento, o jornal se posicionou abertamente contra a virtual eleição do senador de esquerda Salvador Allende à presidência. Quando Allende se elegeu, em 1970, saiu-se com a manchete: "Maioria relativa de Allende: 1.075.616 votos contra". Fosse hoje em dia, diríamos que *tucanou* a vitória da Unidade Popular.

"*El Mercurio* entendeu que era o fim da sociedade oligárquica chilena. Isto o levou a ser um jornal não só anti-Allende, mas antidemocrático. Um jornal golpista. E uma vez que justificou e promoveu o golpe, teve que defender toda a violação de Direitos Humanos que se seguiu", diz o sociólogo e cientista político chileno Manuel Antonio Garretón, no documentário *El Diario de Agustín*.

Dirigido por Ignacio Agüero, em 2008, o filme narra o papel sujo que teve *El Mercurio* como partícipe do golpe de Estado que derrubou Salvador Allende, em 11 de setembro de 1973. A adesão descarada e a cumplicidade integral do jornal fariam corar até mesmo os donos da mídia brasileira. Aqui, pelo menos, houve alguma reação, por menor que tenha sido. No Chile, os jornais dos Edwards foram os únicos poupados pela ditadura de Pinochet do empastelamento. "Menos mal que escapamos, não é? Não vou dizer que a suspensão das atividades da concorrência foi uma notícia ruim", diz cinicamente no documentário um ex-diretor de *El Mercurio*.

O golpe militar no Chile e o grupo *El Mercurio* foram irmãos siameses. No dia seguinte à eleição de Allende, o dono do jornal, Agustín Edwards (são vários *Agustín* consecutivos à frente do diário), viajaria a Washington, EUA, onde teria reuniões pessoais com o secretário de Estado, Henry Kissinger, e com o diretor da CIA. Hoje se sabe, com base em documentos, que o motivo dos encontros já era como evitar que o novo presidente tomasse posse. Falou-se inclusive em "opção militar". Nos anos seguintes, a organização de mídia de Edwards receberia 2 milhões de dólares da CIA — em torno de 11 milhões de dólares em valores de 2008 — como parte da estratégia golpista norte-americana contra os governos de esquerda na América do Sul.

Allende enfim tomou posse e *El Mercurio, La Segunda* e *La Tercera*, os jornais do grupo, começaram a fazer seu papel: manchetes e mais manchetes contra o governo. Allende tinha a noção exata do inimigo que enfrentava. "Se deforma, se mente, se calunia, se tergiversa. Os meios de comunicação com que contam (a direita) são poderosos, jornalistas vinculados a interesses estrangeiros e a grandes interesses nacionais. Não só não reconhecem como deformam nossas iniciativas", disse o presidente na conversa que teve com Fidel Castro em 1971.

A aliança do jornal com a direita golpista e com os EUA culmina no enredo que conhecemos: o bombardeio do palácio de La Moneda e a morte do presidente, que ganharia uma chamada lacônica na primeira página, abaixo da notícia sobre a tomada do poder pela junta militar: "Morreu Allende". Nos anos seguintes ao golpe, os anúncios de "procura-se" dos inimigos de Pinochet eram publicados com desfaçatez em primeira página por *El Mercurio*, ao lado da manchete do dia. O documentário relata episódios escabrosos em que o jornal foi utilizado pela ditadura para dar veracidade às farsas governamentais para encobrir a prisão, tortura e morte de oposicionistas. Somente na década de 1990 o diário deixaria de usar a expressão "suposto" quando se referia às vítimas de Pinochet.

Em uma das muitas histórias mal contadas do período, 119 desaparecidos aparecem mortos na Argentina. A notícia sai, primeiro, em um jornal de Curitiba e em uma revista portenha. Nas páginas de *El Mercurio*, transforma-se em "executados pelos próprios camaradas". O jornal *La Segunda* é ainda pior e celebra a morte dos "terroristas" em primeira página: "Exterminados como ratos".

Em 1976, os jornais da família Edwards noticiam o assassinato de uma militante comunista, sob tortura, como se fosse "crime passional", legitimando a versão encenada pelo governo. O bom trabalho seria seguidamente prestigiado por Pinochet com sua presença nas festas de aniversário de *El Mercurio* e com frases como "*El Mercurio*, trincheira contra o totalitarismo" estampadas, em manchetes do próprio jornal, claro.

Em todos esses anos, a SIP (Sociedade Interamericana de Imprensa) jamais foi capaz de condenar *El Mercurio*, assim como tampouco foi capaz de condenar qualquer jornal brasileiro por ter apoiado a ditadura. A mesma SIP que volta e meia é utilizada pela nossa mídia para criticar Cristina Kirchner, Evo Morales ou Hugo Chávez como "ditadores". Imaginem se um governante chileno resolvesse fazer uma Lei de Meios no país e acabar com o poderio dos Edwards, donos de 20 jornais regionais e três nacionais. Claro, seria imediatamente acusado de "atentar contra a liberdade de expressão". Mas acobertar assassinatos é o quê?

Foram 2.279 mortos e 28.456 as vítimas de prisão e tortura durante o bárbaro regime de Pinochet. Quando essa cifra veio à tona, em 2004, o presidente Ricardo Lagos perguntou: "Como pudemos viver trinta anos de silêncio?". Uma vergonha para a imprensa e os jornalistas do país. Ao se associar a Pinochet, o grupo de comunicação mais poderoso do Chile tornou-se cúmplice de cada uma dessas violações dos Direitos Humanos. No 40º aniversário do golpe de Estado no Chile, porém, *El Mercurio* sequer deu mostras de arrependimento em suas páginas. É até melhor assim. Quem precisa de cinismo numa hora dessas?

Papa Francisco contra o capitalismo

Muito antes da Revolução Russa já existia, no século XIX, um socialismo cristão, inclusive nos Estados Unidos, embora rejeitado pela igreja católica — em 1931, o papa Pio XI ordenou ao mundo que "ninguém pode ao mesmo tempo ser bom católico e um socialista verdadeiro". A admoestação papal não foi suficiente, no entanto, para impedir o surgimento da Teologia da Libertação e de padres e bispos abertamente simpáticos ao socialismo, sobretudo na América Latina.

Existem muitos cristãos que veem Jesus como socialista — Hugo Chávez, por exemplo, que costumava dizer: "Jesus Cristo foi o primeiro socialista da história: dividiu o pão e o vinho. E Judas foi o primeiro capitalista: vendeu Jesus por trinta moedas". No Novo Testamento, o discurso de Cristo sempre em favor dos pobres e radicalmente contra os ricos colabora para esta percepção.

Em novembro de 2013, o papa Francisco publicou sua primeira exortação apostólica, *Evangelii Gaudium*, em que faz severas críticas ao capitalismo, ao consumismo e à cultura do dinheiro. Não é a primeira vez. Em setembro, o argentino já tinha pronunciado um discurso anticapitalista na ilha da Sardenha, na Itália. "Neste sistema sem ética, no centro, há um ídolo, e o mundo tornou-se idólatra do dinheiro", disse então.

No texto divulgado agora, Francisco aprofunda esse sentimento contra a idolatria do dinheiro. E cita são João Crisóstomo (o "sábio da antiguidade" que menciona), perseguido e desterrado pelo clero e pelo império romano no século V por seu combate à ambição, à avareza e à corrupção moral. Grande orador, Crisóstomo atacava continuamente os ricos, e o trecho citado pelo papa é claro ao se referir à exploração dos pobres por eles.

Os alvos de Francisco são não só os ricos como também os apóstolos do livre mercado: "Alguns defendem (...) que todo crescimento econômico, favorecido pelo livre mercado, consegue por si mesmo produzir maior equidade e inclusão social no mundo. Esta opinião, que nunca foi confirmada pelos fatos, exprime uma confiança vaga e ingênua na bondade daqueles que detêm o poder econômico e nos mecanismos sacralizados do sistema econômico reinante. Entretanto, os excluídos continuam a esperar".

Parece até Pepe Mujica falando... Será que o papa Francisco, ao contrário do antecessor Pio XI, aprova o socialismo cristão? Nos Estados Unidos, a direita está espumando pela boca e apontando "marxismo puro" nas palavras do papa. Leiam abaixo os trechos em que Francisco critica a desigualdade social e a economia da exclusão ("uma economia que mata") e julguem vocês mesmos.

* * *

EVANGELII GAUDIUM

Papa Francisco

Alguns desafios do mundo atual

52. A humanidade vive, neste momento, uma viragem histórica, que podemos constatar nos progressos que se verificam em vários campos. São louváveis os sucessos que contribuem para o bem-estar das pessoas, por exemplo, no âmbito da saúde, da educação e da comunicação. Todavia não podemos esquecer que a maior parte dos homens e mulheres do nosso tempo vive o seu dia a dia precariamente, com funestas consequências. Aumentam algumas doenças. O medo e o desespero apoderam-se do coração de inúmeras pessoas, mesmo nos chamados países ricos. A alegria de viver frequentemente se desvanece; crescem a falta de respeito e a violência, a desigualdade social torna-se cada vez mais patente. É preciso lutar para viver, e muitas vezes viver com pouca dignidade.

Não a uma economia da exclusão

53. Assim como o mandamento "não matar" põe um limite claro para assegurar o valor da vida humana, assim também hoje devemos dizer "não a uma economia da exclusão e da desigualdade social". Essa economia mata. Não é possível que a morte por enregelamento dum idoso sem abrigo não seja notícia, e a descida de dois pontos na Bolsa sim. Isto é exclusão.

Não se pode tolerar mais o fato de se lançar comida no lixo quando há pessoas que passam fome. Isto é desigualdade social. Hoje, tudo entra no jogo da competitividade e da lei do mais forte, em que o poderoso engole o mais fraco. Em consequência desta situação, grandes massas da população veem-se excluídas e marginalizadas: sem trabalho, sem perspectivas, num beco sem saída. O ser humano é considerado, em si mesmo, como um bem de consumo que se pode usar e depois lançar fora. Assim teve início a cultura do "descartável", que, aliás, chega a ser promovida. Já não se trata simplesmente do fenômeno de exploração e opressão, mas de uma nova realidade: com a exclusão fere-se, na própria raiz, o pertencimento à sociedade onde se vive, pois quem vive nas favelas, na periferia ou sem poder já não está nela, mas fora. Os excluídos não são "explorados", mas resíduos, "sobras".

54. Neste contexto, alguns defendem ainda as teorias da "recaída favorável" que pressupõem que todo o crescimento econômico, favorecido pelo livre mercado, consegue por si mesmo produzir maior equidade e inclusão social no mundo. Esta opinião, que nunca foi confirmada pelos fatos, exprime uma confiança vaga e ingênua na bondade daqueles que detêm o poder econômico e nos mecanismos sacralizados do sistema econômico reinante. Entretanto, os excluídos continuam a esperar. Para se poder apoiar um estilo de vida que exclui os outros ou mesmo entusiasmar-se com este ideal egoísta, desenvolveu-se uma globalização da indiferença. Quase sem nos dar conta, tornamo-nos incapazes de nos compadecer ao ouvir os clamores alheios, já não choramos à vista do drama dos outros, nem nos interessamos por cuidar deles, como se tudo fosse uma responsabilidade de outrem, que não nos incumbe. A cultura do bem-estar anestesia-nos, a ponto de perdermos a serenidade se o mercado oferece algo que ainda não compramos, enquanto todas estas vidas ceifadas por falta de possibilidades nos parecem um mero espetáculo que não nos incomoda de forma alguma.

Não à nova idolatria do dinheiro

55. Uma das causas desta situação está na relação estabelecida com o dinheiro, porque aceitamos pacificamente o seu domínio sobre nós e as nossas sociedades. A crise financeira que atravessamos faz-nos esquecer

de que, na sua origem, há uma crise antropológica profunda: a negação da primazia do ser humano. Criamos novos ídolos. A adoração do antigo bezerro de ouro (cf. Ex 32,1-35) encontrou uma nova e cruel versão no fetichismo do dinheiro e na ditadura de uma economia sem rosto e sem um objetivo verdadeiramente humano. A crise mundial, que investe as finanças e a economia, põe a descoberto os seus próprios desequilíbrios e, sobretudo, a grave carência de uma orientação antropológica que reduz o ser humano apenas a uma das suas necessidades: o consumo.

56. Enquanto os lucros de poucos crescem exponencialmente, os da maioria situam-se cada vez mais longe do bem-estar daquela minoria feliz. Tal desequilíbrio provém de ideologias que defendem a autonomia absoluta dos mercados e a especulação financeira. Por isso, negam o direito de controle dos estados, encarregados de velar pela tutela do bem comum. Instaura-se uma nova tirania invisível, às vezes virtual, que impõe, de forma unilateral e implacável, as suas leis e as suas regras. Além disso, a dívida e os respectivos juros afastam os países das possibilidades viáveis da sua economia, e os cidadãos do seu real poder de compra. A tudo isto vem juntar-se uma corrupção ramificada e uma evasão fiscal egoísta, que assumiram dimensões mundiais. A ambição do poder e do ter não conhece limites. Neste sistema que tende a fagocitar tudo para aumentar os benefícios, qualquer realidade que seja frágil, como o meio ambiente, fica indefesa face aos interesses do mercado divinizado, transformados em regra absoluta.

Não a um dinheiro que governa em vez de servir

57. Por detrás desta atitude escondem-se a rejeição da ética e a recusa de Deus. Para a ética, olha-se habitualmente com certo desprezo sarcástico; é considerada contraproducente, demasiado humana, porque relativiza o dinheiro e o poder. É sentida como uma ameaça, porque condena a manipulação e degradação da pessoa. Em última instância, a ética leva a Deus que espera uma resposta comprometida que está fora das categorias do mercado. Para estas, se absolutizadas, Deus é incontrolável, não manipulável e até mesmo perigoso, na medida em que chama o ser humano à sua plena realização e à independência de qualquer tipo de escravidão. A ética — uma

ética não ideologizada — permite criar um equilíbrio e uma ordem social mais humana. Neste sentido, animo os peritos financeiros e os governantes dos vários países a considerarem as palavras de um sábio da antiguidade: "Não fazer os pobres participarem dos seus próprios bens é roubá-los e tirar-lhes a vida. Não são nossos, mas deles, os bens que aferrolhamos".

58. Uma reforma financeira que tivesse em conta a ética exigiria uma vigorosa mudança de atitudes por parte dos dirigentes políticos, a quem exorto a enfrentar este desafio com determinação e clarividência, sem esquecer naturalmente a especificidade de cada contexto. O dinheiro deve servir, e não governar! O Papa ama a todos, ricos e pobres, mas tem a obrigação, em nome de Cristo, de lembrar que os ricos devem ajudar os pobres, respeitá-los e promovê-los. Exorto-vos a uma solidariedade desinteressada e a um regresso da economia e das finanças a uma ética propícia ao ser humano.

Não à desigualdade social que gera violência

59. Hoje, em muitas partes, reclama-se maior segurança. Mas, enquanto não se eliminar a exclusão e a desigualdade dentro da sociedade e entre os vários povos será impossível desarraigar a violência. Acusam-se da violência os pobres e as populações mais pobres, mas, sem igualdade de oportunidades, as várias formas de agressão e de guerra encontrarão um terreno fértil que, mais cedo ou mais tarde, há de provocar a explosão. Quando a sociedade — local, nacional ou mundial — abandona na periferia uma parte de si mesma não há programas políticos, forças da ordem ou serviços secretos que possam garantir indefinidamente a tranquilidade. Isto não acontece apenas porque a desigualdade social provoca a reação violenta de quantos são excluídos do sistema, mas porque o sistema social e econômico é injusto na sua raiz. Assim como o bem tende a difundir-se, assim também o mal consentido, que é a injustiça, tende a expandir a sua força nociva e a minar, silenciosamente, as bases de qualquer sistema político e social, por mais sólido que pareça. Se cada ação tem consequências, um mal embrenhado nas estruturas duma sociedade sempre contém um potencial de dissolução e de morte. É o mal cristalizado nas estruturas sociais injustas, a partir do qual não podemos esperar um futuro melhor. Estamos longe do chamado "fim da

história", já que as condições de um desenvolvimento sustentável e pacífico ainda não estão adequadamente implantadas e realizadas.

60. Os mecanismos da economia atual promovem uma exacerbação do consumo, mas sabe-se que o consumismo desenfreado, aliado à desigualdade social, é duplamente daninho para o tecido social. Assim, mais cedo ou mais tarde, a desigualdade social gera uma violência que as corridas armamentistas não resolvem e nem poderão resolver jamais. Servem apenas para tentar enganar aqueles que reclamam maior segurança, como se hoje não se soubesse que as armas e a repressão violenta, mais do que dar solução, criam novos e piores conflitos. Alguns se comprazem simplesmente em culpar, dos próprios males, os pobres e os países pobres, com generalizações indevidas, e pretendem encontrar a solução numa "educação" que os tranquilize e transforme em seres domesticados e inofensivos. Isto se torna ainda mais irritante, quando os excluídos veem crescer este câncer social que é a corrupção profundamente radicada em muitos países — nos seus governos, empresários e instituições — seja qual for a ideologia política dos governantes.

A direita brasileira está certa: devemos imitar os EUA. E legalizar a maconha, o casamento *gay* e o aborto

Os reacionários brasileiros adoram os Estados Unidos. Costumam passar, inclusive, as férias em Miami — o que corrobora seu profundo mau gosto, já que o país é imenso e tem dezenas de outras cidades mais interessantes. Para a direita tupiniquim, os EUA são a terra prometida, onde jorra leite e mel. A economia deles é fantástica, a educação, a saúde, o cinema... Eles admiram até a *junk food*, aquela comida péssima, que fez os índices de obesidade ir à estratosfera por lá. Enfim, se dependesse dos reaças, o Brasil imitaria o Tio Sam em tudo. Tudo mesmo? Será?

Claro que não! Existem conquistas dos norte-americanos que a direita brasileira faz tudo para esconder de você. Quando se trata destes assuntos, eles preferem mirar o Irã, o Afeganistão ou qualquer nação islâmica radical onde as mulheres andam de burca e onde tudo é proibido em nome de Deus. A terra prometida dos reaças, na verdade, é um *mix* de Estados Unidos por fora e país fundamentalista por dentro. Uma miragem para enganar trouxa.

Imagine se a reaçada brasileira, que adora macaquear os EUA, iria querer que nós imitássemos, por exemplo, a lei de aborto norte-americana. A obscura direita nativa, que em toda eleição tenta criar celeuma em torno do aborto, prefere ocultar do povo que, na terra de George Bush e Barack Obama, pode-se interromper a gravidez legalmente em absolutamente TODOS os cinquenta estados desde 1973. A interrupção pode ser feita até a 22ª semana de gestação e, em 17 estados, o atendimento ao aborto é realizado pelo serviço público de saúde. Nos demais, em clínicas particulares.

O aborto, além de ser um direito e uma escolha da mulher, é uma questão de saúde pública. Centenas de mulheres morrem anualmente por causa de abortos malsucedidos no Brasil, porque, é claro, eles continuam a ocorrer mesmo proibidos por lei. E o número de abortos com a legalização, ao contrário do que a direita costuma dizer, vem caindo a cada ano nos EUA. Segundo um estudo divulgado em março deste ano, o total de abortos praticados nos EUA caiu para o mesmo patamar de antes da decisão da Suprema Corte, em 1973.

Outra coisa que poderíamos imitar dos gringos: vinte e três estados e o distrito de Colúmbia, onde está situada a capital, Washington, já aprovaram leis descriminalizando o porte de pequenas quantidades de maconha; vinte e dois estados permitem o seu uso medicinal; e três deles, Colorado, Washington e Alasca, legalizaram a maconha inclusive para o uso recreativo.

Um dos argumentos patéticos da direita burra (*ups, pleonasmo*) contra a legalização da maconha — e contra até se discutir abertamente este tema — é que existem "assuntos mais importantes" para se tratar. Nada mais falso. A proibição da maconha sustenta o tráfico de drogas e aumenta a criminalidade. Quer assunto mais urgente do que reduzir a violência? Só para se ter uma ideia, em Denver, no Colorado, os crimes caíram em 10,6% apenas cinco meses após a legalização da maconha no estado.

A legalização da maconha nos EUA também está quebrando o tráfico de maconha no país vizinho, o México. Outro aspecto importantíssimo:

com a legalização, as cadeias dos EUA, as mais populosas do mundo, não vão lotar de meninos negros levados em cana apenas porque fumavam um baseado, como ocorre hoje. O próprio presidente Barack Obama denunciou: "Garotos de classe média não são presos por fumar maconha. Garotos pobres são. E há mais garotos afro-americanos e latinos entre os pobres e com menos condições de se defender para evitar penas duras". A criminalização da juventude pobre e negra por causa da maconha também ocorre no Brasil. Mas a direita não está nem aí.

Um terceiro item para imitarmos dos norte-americanos: o casamento *gay*. O governo federal, vinte e um estados e o distrito de Colúmbia reconheceram legalmente a validade dos casamentos entre pessoas do mesmo sexo. Em junho deste ano, o presidente Barack Obama estendeu todos os benefícios federais do matrimônio tradicional aos casais *gays*. Isso inclui as leis de imigração: estrangeiros casados com *gays* norte-americanos passaram a ter o direito de permanecer no país, como acontece com os heterossexuais.

O mais interessante é que Obama nem sempre pensou assim. Seu pensamento sobre o casamento *gay* evoluiu a partir de 2012, quando declarou publicamente: "Em certo momento concluí que, para mim, é importante ir em frente e afirmar que casais do mesmo sexo devem ter o direito de se casar legalmente". Em junho, durante uma recepção para *gays* e lésbicas na Casa Branca, Obama disse: "Se nós somos de fato criados iguais, então a maneira que amamos outra pessoa também deve ser igual".

Portanto, faço aqui um reconhecimento: a direita está certa! Vamos copiar os Estados Unidos já. Eles são realmente um modelo para nós.

#MACONHA

Vamos falar de maconha?

"Já fumamos a macumba ou diamba. Produz realmente visões e como um cansaço suave; a impressão de quem volta cansado dum baile, mas com a música ainda nos ouvidos."
Gilberto Freyre

Vamos falar de maconha? Para começar, não acredite em nada do que diz a direita brasileira sobre a maconha. Eles não têm a menor ideia do que estão falando. Sua visão é impregnada de ideologia. Seus "estudos científicos" têm viés. É impossível enfiar numa cabeça fechada dessas um pensamento mais contemporâneo. Faz parte da ideologia deles e de seu plano de dominação ser contra a maconha.

Existe uma visão disseminada pela direita brasileira de que a pessoa que usa maconha, por mais eventualmente que seja, participa do narcotráfico, o incentiva, porque o alimenta. Não é meu tipo de filme e eu não vi, mas *Tropa de Elite* reforçou este tipo de pensamento. Em uma cena, o capitão Nascimento quase espanca um moleque de classe média que sua tropa surpreende numa "boca de fumo" no morro comprando maconha, culpando-o por todas as desgraças do Rio de Janeiro.

Culpar o usuário é um raciocínio estúpido. As pessoas que fumam maconha compram-na de traficantes porque é proibido, no Brasil, plantá-la.

A maconha não necessita de nenhum "refino" ou algo do gênero para ser consumida. Como planta que é, é perfeitamente possível ter dois vasos de maconha em casa e isso, além de eliminar a figura do traficante, tampouco causaria mal a alguém a não ser ao próprio usuário (o que, aliás, ainda se discute cientificamente; no entanto, tem comprovados efeitos medicinais). Ou seja, o usuário só "alimenta" o narcotráfico porque a proibição o obriga a recorrer ao traficante. Se fosse permitido, não recorreria.

Existem drogas e drogas, e a maconha vem se confirmando como a menos danosa delas — inclusive do que o álcool, que é liberado. Em um estudo recente publicado pela revista *Scientific Reports*, o álcool aparece como 114 vezes mais letal do que a maconha.

Outra mania da direita que nada sabe sobre a maconha é misturar alhos com bugalhos. Critica experiências "desastrosas", em outros países, de liberação das drogas, mas isto é sinônimo de coisas pesadas, como heroína. Para que liberar o crack, por exemplo? Neste momento, seria um desastre. Maconha é outra coisa — existem, por sinal, experiências sendo feitas com a maconha para livrar pessoas do vício do crack em alguns países como o vizinho Uruguai, nossa aldeia gaulesa ao sul, com a venda, pelo estado, de baseados.

Com a palavra o ex-presidente Pepe Mujica, um dos ídolos deste *blog*, dando a real sobre o tema da droga: "Aos uruguaios lhes custa admitir que tivemos uma explosão do crime quando começou a se massificar o consumo de pasta base de cocaína, que em outros países se conhece por outros nomes (crack, 'paco') e que se vende a preços miseráveis. Temos milhares de presos por causa do tráfico dessa imundície e apareceram os delitos por ajuste de contas. Os traficantes não mandam advogados para cobrar os que não pagam; dão-lhes um tiro. Isso era desconhecido no Uruguai.

"Vamos combatê-los tirando-lhes um pouco do mercado, porque se trata de um negócio. Eles usufruem de um monopólio e, como o estado lhes persegue, o transforma em uma atividade de alto risco e isso faz subir o preço e então a ganância e a corrupção são enormes. O consumidor se transforma em vendedor, até por necessidade. É interminável.

"O consumo de maconha já existe, às escondidas. A ideia é tratar de regulamentá-lo. Primeiro, entregando um produto melhor, que não cause tanto mal às pessoas. Depois, identificar o consumidor e assim, quando passe dos limites, poderemos dizer 'meu filho, vamos nos tratar porque assim não está bom'. E terceiro, combater com mais efetividade todas as outras drogas".

O Uruguai também liberou o autocultivo, ou seja, plantar para consumo próprio e outra ideia moderna para liberação da maconha: as cooperativas de uso e plantio que existem na Espanha graças a uma brecha legal. Um grupo de pessoas se reúne e arca com os gastos do cultivo. Depois, a maconha é rateada em cotas entre os associados. Uma cidade espanhola surpreendeu ao aprovar o aluguel de terras do município para o cultivo de maconha por um "clube de *cannabis*" de Barcelona. Aproveitará para pagar a dívida e gerar empregos, o que, em meio à crise europeia, parece ser uma solução interessante e nem um pouco hipócrita.

A direita não vai informá-lo, mas em alguns lugares liberar as drogas deu muito certo. É uma mentira deslavada que tenha dado errado em todos. Portugal comemorou recentemente dez anos de descriminalização de todas as drogas e a experiência foi saudada pelo *think tank* norte-americano Cato Institute como um sucesso retumbante. "Portugal está muito melhor do que antes, em muitos aspectos, do que outros países da União Europeia que preferiram uma abordagem dura, criminalizante, das drogas", diz o relatório especial do instituto sobre o país. O abuso de drogas caiu pela metade por lá após a descriminalização.

No Brasil, só se fala do problema das drogas em época de campanha eleitoral, quando não é exatamente debatida, mas usada nos debates como "pegadinha" pelos candidatos. Já passou da hora de as drogas em geral, e a maconha em particular, serem discutidas no país fora do calendário eleitoral. Urge olhar o assunto sem hipocrisia e sem fazer de conta que vivemos na Idade Média. Proibir a maconha é arcaico, é do tempo da onça. E não funcionou.

Presidentes dos EUA que fumaram maconha

No Brasil dos anos 1970, circulava uma versão de *Eu te amo, meu Brasil*, a canção ufanista de Dom e Ravel que foi uma espécie de hino da ditadura militar, dizendo assim: "Maconha no Brasil foi liberada, lálálálá. Até o presidente já fumou...". Imaginem se algum daqueles generais iria admitir ter experimentado fumar um baseado! Mas mais ou menos na mesma época, em 1971, o jornal *underground The Chicago Seed* publicou um artigo bombástico: nada menos que sete presidentes dos Estados Unidos até então teriam fumado maconha. As informações eram atribuídas a certo "Dr. Burke".

Presidentes e maconha

Fumar maconha é bastante popular nos EUA hoje em dia, mas poucas pessoas sabem que a erva já foi tão popular no país que sete presidentes a usaram.

Dr. Burke, presidente da American Historical Reference Society e consultor do Smithsonian Institute, incluiu os seguintes presidentes como usuários de maconha: George Washington, Thomas Jefferson, James Madison, James Monroe, Andrew Jackson, Zachary Taylor e Franklin Pierce.

A maconha era comum entre os plantadores de tabaco. Quando ela era misturada com o fumo, causava um leve efeito entorpecente. As folhas e resina (haxixe) eram usadas para temperar a comida e como remédio. Antes da Guerra Civil Americana, a maconha era usada para curar insônia, impotência e, sobretudo, como calmante.

"Antigas cartas de nossos primeiros presidentes se referem frequentemente aos prazeres de fumar maconha", diz o dr. Burke. Existem inclusive referências históricas. Nunca houve interesse comercial sobre a maconha porque a planta era fácil de cultivar.

George Washington, James Madison e Thomas Jefferson cultivaram maconha em suas fazendas. George Washington disse preferir um bom cachimbo "de folhas de *cannabis*" a qualquer bebida alcoólica. Jefferson e Washington trocaram correspondência sobre as virtudes de fumar maconha e trocaram também diferentes qualidades de erva como um gesto de amizade.

Certa vez, James Madison declarou que, não fosse pela maconha, não teria os *insights* que teve na tarefa de criar uma nova e democrática nação. James Monroe, criador da Doutrina Monroe, fumava tanto maconha quanto haxixe. Madison trouxe o hábito de fumar haxixe da França, e continuou fumando até os setenta e três anos.

Pierce, Taylor e Jackson, todos militares, fumaram maconha com suas tropas. Assim como é hoje popular fumar maconha, no Vietnã, na época da guerra mexicana, era duas vezes mais comum entre nossos soldados. Pierce escreveu à família que a maconha era a única coisa boa a respeito da guerra.

* * *

A internet só iria existir décadas depois, mas o artigo se espalhou como fagulha no mato seco. O caso foi levado às autoridades de saúde e até à comissão do Congresso norte-americano que investigava o uso de drogas. Mas o instituto Smithsonian desmentiu que existisse um "dr. Burke" em seu quadro de consultores e a notícia foi dada como *hoax*, um boato. A suspeita de que alguns dos primeiros presidentes norte-americanos fumaram maconha, porém, permaneceu.

O que se sabe, como fato, é que vários deles realmente plantaram maconha em suas fazendas. George Washington sabia até mesmo como transformar as plantas macho, que não possuem THC suficiente para dar "barato", em fêmeas, que possuem –isso está documentado. Será que era para fumar? Ou era só para plantar, já que as fêmeas também produzem sementes?

Mistério. Mas desde essa época outros presidentes norte-americanos admitiram, sim, ter experimentado a maconha, a começar por Bill Clinton, que fez a mais patética revelação sobre baseados de que se tem notícia: "Fumei, mas não traguei". Como seu amigo Fernando Henrique Cardoso, que afirmou ter apenas "sentido o odor" uma vez, embora, no passado, tenha perdido uma eleição por admitir que experimentou. (Hoje, FHC é a favor da descriminalização da erva.)

George W. Bush também foi flagrado em uma conversa gravada admitindo ter usado maconha. "Eu não responderia questões sobre a maconha, sabe por quê? Não quero crianças pequenas fazendo o que eu fiz", disse. Na fita, Bush faz gozação com o rival Al Gore por ter dito publicamente, na campanha de 2000, que fumou maconha. Mas seu sucessor, Barack Obama, é, sem dúvida, o mais bem resolvido dos presidentes norte-americanos em relação ao *pot* (gíria para maconha). "Fumei quando era garoto", disse Obama, ainda senador, em 2006.

São frequentes as piadas sobre o atual presidente dos EUA e o uso de maconha. Ano passado, o ator Arnold Schwarzenegger reclamou que a história de que ele e Obama fumaram baseado juntos nos anos 1970 era "a pior mentira" que já ouviu. Mesmo porque... "Ele não passava o baseado!", riu o ex-governador da Califórnia.

No livro *Barack Obama: The story*, lançado no ano passado, o biógrafo David Maraniss conta detalhes da vida de maconheiro de "Barry" no Havaí. Consta que sua turma, que se denominava *Choom Gang* (*choom* é um verbo que significa "fumar maconha"), tinha até uma kombi onde a regra era fazer sauninha: fumar dentro com o vidro fechado. E Schwarzenegger aparentemente sabe do que está falando, porque Barry tinha a mania de pular a fila do *beck* antes de sua vez, gritando: "Interceptado!".

Maraniss descreve Obama como um profissa do baseado. Ele seria, inclusive, conhecido como o inventor de uma técnica chamada TA (total absorção), que consistia em exalar o mínimo possível de fumaça. "Quando você estava com Barry e seus amigos, se você exalasse o precioso *pakalolo* (gíria havaiana para maconha que significa 'fumo entorpecente') em vez de absorvê-lo inteiramente em seus pulmões, recebia uma penalidade e perdia seu turno na próxima vez que o baseado passasse na roda", escreveu Maraniss.

Com as recentes flexibilizações sobre o uso da maconha nos EUA, que já é permitida para uso medicinal em vários estados e também para uso recreativo em três (Alasca, Washington e Colorado), o presidente parece cada vez mais relaxado em tratar do tema. Ele mesmo fez piada sobre o velho hábito de fumar baseados durante o tradicional jantar com os correspondentes estrangeiros na Casa Branca. "Eu lembro quando BuzzFeed era apenas algo que eu fazia na faculdade por volta das duas da madrugada", disse Obama, fazendo um trocadilho entre o popular *site* de notícias e a larica, a fome que dá depois de fumar maconha. Gargalhadas gerais.

Não é mesmo hilário que a maconha, tida por muitos como coisa de *loser*, perdedor, vagabundo, tenha sido usada, na juventude, por vários presidentes do país mais poderoso do mundo? Tanto liberais quanto conservadores, diga-se de passagem. Trata-se, sem dúvida, de um bom paradigma para mudar conceitos em relação ao uso recreativo da erva. Ou seriam preconceitos?

Grandes escritores & maconha

O Uruguai se tornou o primeiro país do mundo a estabelecer um mercado com regras para o cultivo, venda e uso da planta. Usuários registrados poderão comprar sementes em farmácias e cultivar até seis pés de maconha em casa. As cooperativas e clubes de consumo também foram autorizados.

Enquanto isso, no Brasil, a ignorância sobre a maconha continua a vicejar. Um preconceito histórico também contribui para a erva ser considerada "maldita": como foi trazida ao Brasil pelos negros africanos, o combate à maconha carrega uma dose de racismo implícito desde seus primórdios. Para piorar, o forte *lobby* evangélico tem se associado ao conservadorismo político impedindo que a descriminalização seja sequer discutida em nosso país — inclusive para uso medicinal.

Mas maconha não é, ao contrário do que tentam pintar, "coisa de vagabundo". Pelo contrário: muita gente boa fuma maconha e você nem imagina. Em homenagem aos uruguaios, compilei uma seleção de textos e opiniões de grandes escritores "maconheiros" sobre a erva. Viva Mujica!

* * *

Hunter S. Thompson (1937-2005)

"Sempre amei a maconha. Ela tem sido uma fonte de alegria e conforto para mim por muitos anos. E eu ainda acho que é uma das coisas básicas da vida, ao lado da cerveja, gelo e *grapefruits* — e milhões de americanos concordam comigo."

Norman Mailer (1923-2007)

"O efeito da maconha em alguém é sempre existencial. Pode-se sentir a importância de cada momento e como isto nos afeta. É possível sentir a própria essência, tornar-se consciente do enorme mecanismo do nada — o zumbido do aparelho do som, o vazio de uma interrupção sem sentido. Tornamo-nos conscientes da guerra dentro de cada um de nós, e como o nada dentro de nós busca atacar a essência dos outros, e como nossa essência, por sua vez, é atacada pelo nada dos outros."

Carl Sagan (1934-1996)

"Minha experiência com a *cannabis* melhorou muito minha apreciação da arte, um tema que nunca pude apreciar antes. O entendimento do propósito do artista, que obtenho quando estou chapado, algumas vezes continua quando estou de cara. Esta é uma das muitas fronteiras humanas que a *cannabis* me ajudou a transpor. Tem também algumas sacadas relacionadas à arte — eu não sei se elas são verdadeiras ou falsas, mas foram muito divertidas de formular. Por exemplo: passei algum tempo doidão apreciando o trabalho do surrealista belga (na verdade francês) Yves Tanguy. Alguns anos mais tarde, ao emergir depois de um longo mergulho no Caribe, afundei exausto na praia formada pela erosão de um recife de coral nas proximidades. Examinando à toa os fragmentos arqueados de coral em tons pastel que formavam a praia, vi diante de mim uma pintura de Tanguy. Talvez ele tenha visitado uma praia assim na infância."

Alexandre Dumas (1802-1870)

"Julgue por si mesmo, senhor Aladim — julgue, mas não se resuma a uma só tentativa. Como tudo o mais, precisamos acostumar os sentidos a uma primeira impressão, suave ou violenta, triste ou alegre. Há uma luta em nossa natureza contra essa substância divina — nas naturezas que não são feitas para o prazer e se aferram à dor. É preciso que a natureza subjugada sucumba no combate, o sonho tem que vencer a realidade e o sonho reinar supremo; então o sonho se transforma em realidade e a realidade se torna sonho. Mas que mudanças ocorrem! Apenas pela comparação da dor da existência verdadeira com as alegrias da existência assumida é que você desejará não mais viver, mas sonhar para sempre. Quando você retorna a esta esfera mundana de seu mundo visionário, é como se trocasse uma primavera napolitana pelo inverno da Lapônia — deixar o paraíso pela Terra, céu pelo inferno! Experimente o haxixe, meu hóspede — experimente o haxixe." (em *O Conde de Monte Cristo*)

Stephen King (1947-)

"Eu acho que a maconha deveria não só ser legal como deveria ser uma indústria caseira. Seria maravilhoso para o estado do Maine. Tem uma erva muito boa plantada em casa. Tenho certeza que seria ainda melhor se fosse possível cultivar em estufas, utilizando fertilizantes..."

Friederich Nietzsche (1844-1900)

"Quando a gente quer se livrar de uma pressão insuportável o haxixe é necessário."

Gilberto Freyre (1900-1987)

"Já fumamos a macumba ou diamba. Produz realmente visões e um como cansaço suave; a impressão de quem volta cansado dum baile, mas com a música ainda nos ouvidos." (nas notas de *Casa Grande & Senzala*)

Ramon Del Valle-Inclán (1866-1936)

— O México me pareceu um país destinado a fazer coisas maravilhosas. Tem uma capacidade que o mundo não sabe admirar em toda a sua grandeza: a revolucionária. Através dela avançará e evoluirá. Dela... e do cânhamo índico, que lhe faz viver em uma exaltação religiosa extraordinária.

— O cânhamo índico?

— A erva maconha ou cânhamo índico, que é o que os mexicanos fumam. É o que explica seu desprezo à morte, que lhes dá um valor sobre-humano. (entrevista ao jornal *El Heraldo de Madri*, 1918.)

Charles Baudelaire (1821-1867)

"Eis a felicidade! Uma colherinha bem cheia! A felicidade com toda a sua embriaguez, todas as suas loucuras, todas as suas criancices! Pode tomá-la sem medo; ninguém morre por causa disso. Seus órgãos físicos não sofrerão dano algum. Talvez mais tarde, se recorrer muitas vezes ao sortilégio do haxixe, diminuirá sua força de vontade e você será menos homem que agora; mas está tão longe o castigo e é tão difícil determinar a natureza do futuro desastre! Que risco você corre? Um pouco de cansaço nervoso no dia seguinte. Mas você não se expõe todos os dias a castigos maiores por menores recompensas?" (em *Os Paraísos Artificiais*)

Os atletas de Jah

Não tem os atletas de Cristo? Pois então, tem os atletas de Jah também, mas destes você não fica sabendo. Os atletas de Jah, como o nome já diz, são esportistas que usam maconha de forma recreativa, o que agora é permitido fora das competições. Em maio de 2013, a WADA, entidade que trata do uso de drogas nas Olimpíadas, flexibilizou o uso de maconha entre os atletas: a quantidade tolerada de maconha no organismo passou de 15 nanogramas por mililitro para 150 ng/ml. Isso significa que encontrar traços de maconha no organismo dos competidores deixou de ser considerado *doping*. O atleta só corre o risco de perder a medalha se for comprovado que fumou a erva para competir, e não antes ou depois. Ou seja, fora de competição, a maconha não é proibida.

A notícia é uma boa-nova para atletas como o canadense Ross Rebagliati, medalha de ouro em *snowboarding* nos Jogos Olímpicos de Inverno de 1998, em Nagano, no Japão. Flagrado com maconha no sangue no antidoping, Rebagliati por pouco não perdeu a sua medalha. Porém, após confessar ter fumado baseado e pedir desculpas, o atleta manteve a vitória. O canadense resolveu se dedicar ao plantio de maconha para uso medicinal e abriu uma loja com o sugestivo nome de Ross Gold. Quando o nadador Michael Phelps foi flagrado fumando maconha, Rebagliati saiu em defesa do colega dizendo: "Ei, isso tem zero caloria, é totalmente *diet*!".

Assim como Phelps ou Rebagliati, muitos outros atletas foram relacionados ao uso recreativo de maconha. Cientificamente, é uma tolice associá-la ao *doping*, porque reduz a coordenação motora e os reflexos; prejudica a concentração e a noção de tempo; e reduz a capacidade máxima de exercício, resultando em aumento da fadiga. Quer dizer, não melhora em nada o desempenho, embora, com a legalização nos EUA, comecem a aparecer depoimentos de atletas amadores sobre as vantagens de usar maconha antes de praticar exercícios ao ar livre, como andar, escalar ou nadar. Em termos competitivos, porém, a maconha seria um *doping* ao contrário.

No Brasil, nomes como Giba e Estefânia, do vôlei, foram flagrados com traços de maconha no antidoping. No futebol, Jardel, Renato Silva e André Neles. E o que dizer do vídeo em que Ronaldo Fenômeno faz em campo o conhecido gesto convidando a fumar um "baseado"?

Nos últimos tempos, vários lutadores do UFC têm testado positivo para maconha no antidoping. O norte-americano Nick Diaz foi suspenso dos ringues por um ano ao ser flagrado com a erva no organismo pela segunda vez, mas parece não se importar com as críticas. Tanto é que, logo após a suspensão, postou uma foto nas redes sociais com um envelope contendo maconha e seu nome escrito. O lutador afirma, com razão, que em seu estado natal, a Califórnia, o uso medicinal da maconha é permitido. Mas qual é exatamente a "doença" de Nick? Talvez estresse.

Outro lutador flagrado com maconha no antidoping, o também norte-americano Matt Riddle, acabou demitido do UFC mesmo depois de quatro vitórias consecutivas. Mas o meio do UFC não é exatamente maconhofóbico. Ao contrário, vários lutadores opinam que a maconha deveria ser liberada. O executivo do UFC, Marc Ratner, defende que os atletas usuários de maconha deveriam ter um tratamento diferente dos flagrados por uso de esteroides. Claro. "A maconha vai se tornar cada vez mais e mais problema dos lutadores e seus metabolismos", defende.

Para mim, a maior vantagem de saber que atletas de sucesso fumam maconha é pôr fim à hipocrisia geral em relação à erva. Em geral, o fumante de maconha é associado à preguiça, à vagabundagem, à indolência. Mas se até campeões olímpicos usam e isso não os prejudica, cada vez faz menos sentido a proibição.

#JORNALiSMO

Jornalista tem complexo de elite

Quando eu trabalhei na *Folha de S.Paulo* pela primeira vez, em 1989, fui demitida porque confundi fisicamente o irmão de PC Farias, Luiz Romero, com o cientista político Bolívar Lamounier (parece bizarro, mas eles eram de fato parecidos). Na época, fiquei muito triste porque me pareceu uma bobagem diante dos furos que tinha dado em minha passagem-relâmpago por lá, e me senti como a namorada que é chutada no auge da paixão. Depois, refletindo, vi que foi a melhor coisa que poderia ter acontecido ao meu ego de fedelha de 22 anos, que já estava se achando, em pleno início de carreira, uma das maiores jornalistas do país. Também foi importante por me fazer perder rapidamente a ilusão de ser imprescindível e não apenas um parafuso na engrenagem deste grande negócio que se chama imprensa. Descobri cedo qual era o meu lugar.

Quatro anos mais tarde, quando o jornal me convidou para voltar, eu era outra. Meu entusiasmo e a vontade de fazer reportagens interessantes continuavam intactos, mas havia morrido dentro de mim aquela sensação de "pertencer" a alguma empresa que contratasse os meus serviços, de ser "querida" na casa ou de integrar uma "família". Para mim, meu empregador passara a ser apenas meu empregador. E eu mera operária da palavra, que estava por ali fazendo o meu melhor, mas que tinha claro que podia ser descartada a qualquer momento. Até porque, no Brasil, quanto mais você se torna experiente e se destaca numa empresa jornalística, e consequentemente ganha mais, não passa a ser o menos visado na hora dos "cortes", e sim o oposto.

Esta visão pragmática não me tornou, entretanto, insensível ao descarte de vários contemporâneos que presenciei ao longo dos anos. Cada vez que um deles é chutado, ao contrário, sinto uma revolta ainda maior do que senti naquela primeira (e felizmente única) demissão. É como se fosse comigo. Sinto raiva quando me lembro da vez que um amigo, excelente texto, foi dispensado após treze anos como repórter, e seu primeiro comentário foi: "Puxa, e olha que nunca dei um 'erramos'". Ou do que aconteceu recentemente com um fotógrafo querido, que comemorou pela manhã no Facebook os vinte anos de jornal e, à noite, voltou para publicar em seu mural que havia sido demitido. A empresa certamente nem se deu conta de que o fazia justo naquele dia. Na planilha de custos, aquele profissional impecável se resumia a alguns dígitos numa folha de pagamentos.

A esmagadora maioria dos jornalistas que conheci na minha já longa carreira são, como eu mesma, pés-rapados que ascenderam socialmente em virtude do seu trabalho, apurando, entrevistando, escrevendo, editando, fotografando. Infelizmente, com a ascensão social (somada ao convívio com o poder), os malnascidos jornalistas se iludem que passaram a integrar a elite, senão financeira, intelectual do país. É por isso que, como diz Mino Carta, "o Brasil é o único lugar onde jornalista trata patrão como colega". Boa parte dos jornalistas acha mesmo que os patrões são colegas: colegas de classe. Patrões e jornalistas estariam lado a lado na elite. Não é à toa que tantos não se constrangem em escrever reportagens que representam uma classe a qual não pertencem de origem: se mimetizaram com ela.

É claro que jornalistas ficam abalados e tristes, sim, quando um companheiro de redação é demitido, mas não a ponto de fazer protestos ou se organizar para questionar as "reestruturações". E por que é assim? Eu acho que, no fundo, os jornalistas não reagem quando alguém vai parar no olho da rua porque, de certa maneira, sentem-se solidários também com o dono, seu "colega", na fria e corriqueira justificativa de que "era preciso cortar os custos". Como se a empresa onde batem ponto diariamente fosse um pouco sua, ao mesmo tempo em que sabem que serão os próximos. Aquela bendita demissão vinte e quatro anos atrás me livrou de sentir esta síndrome de Estocolmo.

Não sei o que vai acontecer, no futuro, com o jornalismo impresso, em crise no mundo — e mais ainda, em um país de pouca leitura como o nosso. Não acredito que as demissões, que se tornarão cotidianas, sejam capazes de provocar na categoria uma consciência de classe que nunca teve e que, a meu ver, nunca terá. A minha esperança é que a mesma internet que tem causado a fuga de leitores e os consecutivos cortes nos jornais proporcione um novo modelo de empresa de comunicação, alguma experiência individual, quiçá conjunta ou até cooperativa, em que possamos ser patrões de nós mesmos, para variar. As crises costumam ser boas para reconstruir. Oxalá nasça daí um jornalismo no qual saibamos melhor nosso lugar na sociedade e a quem estamos servindo ao ganhar, com a notícia, o pão de cada dia.

R.I.P. jornalista (pseudo) imparcial

O furo do repórter Glenn Greenwald, que denunciou a espionagem feita pelo governo de Barack Obama sobre os cidadãos norte-americanos, fez cair a minha ficha sobre qual é o futuro do jornalismo. Na verdade, a questão se os veículos em papel sobreviverão ou não à imprensa *on-line* é uma questão menor. Se os jornais vão falir, o problema é dos donos deles. Para nós, jornalistas, o que de fato importa é o tipo de jornalismo que se faz, que se fará. E Greeenwald é a prova: só irão permanecer os jornalistas engajados, politizados e que têm uma opinião própria a respeito dos fatos.

Aquele jornalista "imparcial", anódino, obediente à postura ideológica disfarçada de seu veículo, perdeu o bonde da história. Na era das redes sociais, o leitor não se interessa por gente que não se posiciona. Greenwald sempre se posicionou. Foi um crítico feroz do Patriot Act, que praticamente eliminou as liberdades individuais nos EUA após os atentados de 11 de Setembro de 2001. Apoia e denunciou as condições em que se encontra preso Bradley Manning, o soldado que facilitou segredos ao Wikileaks. É homossexual assumido e militante dos direitos LGBTs. O jornal para onde escreve agora, *The Guardian*, sempre teve uma visão liberal e *anti--establishment*. Não há nada de "imparcial" nisso.

Isso é importante: ser contra o *establishment* — não basta ser um "fiscal" do governo. É pouco. Os novos tempos exigem de jornais e jornalistas que tenham um papel social, que atuem em favor dos cidadãos. Até porque nem sempre produzir notícias contra o governo é produzir notícias em favor da população. Vejam o exemplo do Brasil, onde a imprensa optou, nos últimos anos, por fazer oposição em vez de jornalismo. Até que ponto os jornais defendem os direitos dos brasileiros e não os seus próprios ou da pequena parcela da população que representam? Ser contra as cotas, por exemplo, é ser a favor do brasileiro?

Os jornalistas que abriram perfis nas redes sociais apenas por vaidade e que os usam para se omitir ou para compartilhar amenidades já eram. Isso não vale apenas para os progressistas ou de esquerda. Também o jornalista conservador, mais identificado com a direita, terá garantido seu lugar ao sol quando se assumir assim. É mais claro, mais honesto e mais de acordo com os tempos em que vivemos. O leitor espera daqueles que lê diariamente uma postura diante do mundo. Ele já sabe que a imparcialidade não existe, que é um conto da carochinha. Jornalistas também votam.

O próprio modelo de financiamento da atividade jornalística proposto por Greenwald, pelo *Guardian* e por meios alternativos, em que o leitor paga diretamente àquele que lhe fornece notícias, sem "atravessadores", exige engajamento. Quem vai aceitar pagar por um conteúdo que não lhe diz respeito, que não lhe interessa, que não realiza seus anseios como cidadão?

O jornalista do futuro, livre da camisa de força da pseudoimparcialidade imposta pelos patrões, poderá mostrar a que veio. Com as redes sociais, os jornalistas já não estão mais encastelados nas redações, são cidadãos acessíveis a críticas (e elogios). Isso aumenta sua influência pessoal e sua responsabilidade social. É bom. Quem não souber se adaptar a este jornalismo atuante, opinativo, engajado, mais cedo ou mais tarde terá que passar no departamento pessoal.

Adeus, jornais impressos

Caí de amores pela *Folha de S.Paulo* aos dezessete anos, em 1984, quando entrei na faculdade e o jornal apoiou a campanha pelas Diretas Já. Até então, menina do interior da Bahia, não conhecia bem a grande imprensa. O jornal que estampava em sua primeira página o desejo de todos nós, brasileiros, de votar para presidente, me cativou. Como para vários da minha geração, trabalhar na *Folha* tornou-se um sonho para mim.

E de fato trabalhei no jornal, entre idas e vindas, por quase dez anos. Tive espaço, ótimas oportunidades, conheci de perto figuras incríveis: Ulysses Guimarães, Darcy Ribeiro, Florestan Fernandes, Leonel Brizola, Lula. E principalmente: na *Folha* escrevi como quis — ninguém nunca mudou meu texto e jamais adicionaram nem uma frase sequer que eu não tenha apurado, ao contrário do que viveria nos oito meses que passei na Veja.

Em 2009 meu respeito pela *Folha* morreu. Naquele ano, o jornal publicou um artigo absolutamente execrável acusando Lula de ter tentado estuprar um companheiro de cela, certo "menino do MEP" (antiga organização de esquerda), quando esteve preso, em 1980. Qualquer pessoa que lê o texto percebe que Lula fez uma brincadeira (de mau gosto, ok), mas o autor do artigo não só levou a sério, ou fez de conta que levou a sério, como convenceu o jornal a publicar aquele lixo.

Como eleitora de Lula, aquilo me incomodou. Por que nunca fizeram algo parecido com outro político? Por que o jornal jamais desceu tão baixo com ninguém? Apontar erros, incoerências, fazer oposição ao governo, vá lá. Dizer que Lula estuprou uma pessoa! Por favor. Me pareceu que alguém na direção do jornal estava sob surto psicótico ao permitir que algo assim fosse impresso. Vários amigos da *Folha* me confidenciaram vergonha e indignação com o texto.

Continuei a ler o jornal nestes últimos quatro anos mais por hábito do que por outra coisa. Quando veio o editorial em que a ditadura foi chamada de "ditabranda", não fiquei surpresa. Quando a *Folha* publicou a ficha falsa da candidata Dilma Rousseff no DOPS quando atuou na luta armada, tampouco. A minha própria ficha já tinha caído, lá atrás. O jornal a favor das Diretas Já deixara de existir — ou será que nunca existiu? Afinal, antes disso a *Folha* havia apoiado o golpe militar. Terei eu caído num golpe — de *marketing*?

Hoje, 24 de outubro de 2013, tomei a iniciativa de cancelar minha assinatura da *Folha de S.Paulo*. O jornal acaba de contratar dois dos maiores reacionários do país para serem seus "novos" colunistas. Não faz sentido, para mim, seguir assinando um jornal com o qual não tenho mais absolutamente nenhuma identificação. Pouco importa que minha saída não faça diferença para a *Folha*: é minha grana, trabalho para ganhá-la, não vou gastá-la em coisas que não valem a pena. O mundo não é capitalista? Pois não quero, com meu dinheiro, ajudar a pagar gente que me causa vontade de vomitar.

O mais triste é que, ao deixar de assinar a *Folha*, deixo também de ler jornais impressos. Nenhum deles me representa. Esta é literalmente uma página que viro, dá a sensação que perdi um amigo querido. Mas a vida é assim mesmo: às vezes amigos tomam rumos diferentes. Sem rancores.

#ViDA

Elogio ao *loser*

"Nunca conheci quem tivesse levado porrada. Todos os meus conhecidos têm sido campeões em tudo", escreveu, nos anos 1920, Álvaro de Campos, heterônimo de Fernando Pessoa, no *Poema em linha reta*. Nos anos 1950, tudo indica que foi Charlie Schultz quem lançou a gíria *loser* (perdedor) a partir de uma tira de seus quadrinhos *Peanuts* (Snoopy no Brasil). *Because you're a loser, Charlie Brown,* diz a gozadora Lucy ao amigo, quando ele pergunta por que sempre caía no mesmo velho truque dela: derrubá-lo, puxando a bola de futebol americano que iria chutar.

Ou pode ter sido o contrário: Schultz popularizou o termo *loser,* que os estudantes começavam a usar como gíria. Não importa. Se até então a palavra só tinha o significado de contrário a vencedor, a partir dessa época passou a designar um determinado tipo de pessoa nos Estados Unidos: para alguns, um infeliz digno de pena, sem sorte, sem valor. Mas isso é dizer pouco do *loser.* É verdade que ele leva a pior algumas vezes, mas não é apenas o cara que não ganha, e sim o que não se importa em ganhar. Ao contrário do que muitos pensam, o *loser* pode chegar lá — mas o que o moveu não foi chegar.

Adoráveis *losers* como Charlie Brown sempre estiveram no imaginário americano, para causar conforto ou desprezo em seus conterrâneos. Os personagens de Woody Allen, dos irmãos Coen, principalmente *O grande*

Lebowsky, Robert Crumb, ele próprio e seus quadrinhos, um pouco Homer Simpson também, num sentido mais americano médio, e *Forrest Gump*, o *loser* lúdico. Não lembro de mulheres *losers*. Elas, ainda que belas e eles nem tanto, são as que se apaixonam pelos *losers*, o *loser* é um conquistador à sua maneira, tem um não sei quê de dar vontade de botar no colo e fazer cafuné.

Há um charme qualquer em quem se move pela vida cheio de dúvidas, indecisões, questionamentos e incertezas, mais do que com ambição e vaidade. Os brilhos dos ouros encantam alguns, mas não todos. Há gente que percebe o passageiro disso tudo e se distrai olhando o horizonte, cheirando o café ou andando na areia úmida. Perder ou ganhar está mais no olhar do outro do que no nosso próprio. Para mim é um vencedor aquele que chora, vacila, teme, cai e corajosamente admite e novamente ri, avança, supera e levanta. A vida é mais verdadeira neles.

Falei que não me lembrava de mulheres *losers*, eu mesma sou uma *loser*. Fiz escolhas na vida sempre ouvindo o coração, e ele sempre acertou por onde me guiou. O coração tem uma campainha para avisar dos perigos; o bolso, não. Uma vez me falaram de um ditado persa que diz assim: "É nos lugares pequenos que se fazem coisas grandes". Serve para mim. Não preciso de muito dinheiro, graças a Deus. E não me importa, diriam dois filósofos daqui mesmo.

Às vezes fico pensando que os *losers* estão acabando, que é algo *démodé* não desejar conquistar tanto nem tantas coisas, que é coisa do passado querer ir mais ao sabor do vento do que com a trilha toda já predestinada ou almejada. Que nessa vida só há lugar para os vencedores. E, às vezes, penso justamente o contrário, que tantas crises econômicas das quais eu e metade do mundo não entendemos patavina, vieram para ficar, que uma hora o troço será tão vertiginoso que vai tudo começar a cair. Quanto mais alto se sobe, mais feio é o tombo. Quem será o *winner* e quem será o *loser* então, Charlie Brown?

Alta ajuda de Nietzsche

Morei dez anos em São Paulo e, quando você vive numa cidade gigante como essa, se não se mantiver atento e forte, corre o risco de ser levado pelo fluxo e se esquecer de quem é. Há uns oito anos eu me encontrava assim: esquecida de quem era de fato. Não andava mais de bicicleta, não subia montanhas e não parava para admirar as coisas boas e simples da vida, como o pôr do sol. Momentos como estes são perigosos porque nos levam a tomar decisões erradas. Se a gente não se der conta logo, pode se perder de si mesmo para sempre.

Eu sempre fugi de Nietzsche porque, otimista incorrigível que sou, confundia o niilismo dele com pessimismo. Felizmente, neste período de confusão, lembrei que um amigo tinha me dito: "Você precisa ler Nietzsche". Na banca de revista em frente ao Conjunto Nacional, na Paulista, comprei uma edição baratinha do *Ecce homo*, a derradeira obra do autor alemão. Por incrível que pareça, este livro, do cara que eu achava ser pessimista, foi importantíssimo para o meu reencontro comigo mesma.

Pois é, tem autoajuda e tem alta ajuda. *Ecce homo*, como diz sua epígrafe, me lembrou "de como a gente se torna o que a gente é". Do livro, pincei algumas frases que anotei em uma cadernetinha que carrego sempre comigo, no caso de eu voltar a esquecer de quem sou. Compartilho-as com vocês.

"Os anos em que minha vitalidade foi mais débil foram os anos em que deixei de ser pessimista: o instinto de autorrestabelecimento me proibiu uma filosofia da miséria e do desânimo."

* * *

"O que não acaba com o homem o fortalece."

* * *

"Engolir sapos faz, irremediavelmente, um mau caráter — e inclusive estraga o estômago. Todos aqueles que silenciam são dispépticos. Vede bem, eu não pretendo ver a grosseria sendo desprezada. Ela é, de longe, a forma mais humana de objeção e, em meio à suavização moderna, uma de nossas maiores virtudes."

* * *

"O triunfo sobre o ressentimento, libertar a alma disso: eis o primeiro passo para o restabelecimento."

* * *

"Me falta um critério confiável para saber o que é um sentimento de culpa. Segundo aquilo que se ouve a respeito disso, um sentimento de culpa não me parece nada digno de atenção."

* * *

"Deus é uma resposta esbofeteada e grosseira, uma indelicadeza contra nós, os pensadores — no fundo apenas uma proibição esbofeteada e grosseira contra nós: vós não deveis pensar!"

* * *

"Me interessa de maneira bem diferente uma questão à qual a 'sorte da humanidade' está ligada muito mais intimamente do que a qualquer curiosidade teológica: a questão da nutrição. (...) Não se deve ter nervos, deve-se ter um ventre alegre."

* * *

"A cozinha alemã como um todo — quantas são as coisas, quantos são os homens que lhe pesam na consciência! (...) A origem do espírito alemão — vísceras enturvadas! O espírito alemão é uma indigestão, ele não é capaz de dar conta de nada."

* * *

"A dieta inglesa dá pés de chumbo ao espírito — pés de inglesa. A melhor cozinha é a do Piemonte."

* * *

"Eu, um inimigo do vegetarianismo por experiência, não saberia recomendar com seriedade suficiente a abstenção incondicional de bebidas alcoólicas a todas as naturezas mais espirituosoas. (...) *In vino veritas*: parece que aqui também eu discordo do mundo inteiro a respeito do conceito 'verdade'... No meu caso o espírito paira sobre a água."

* * *

"O café nos torna sombrios. Chá saudável apenas pela manhã."

* * *

"Sentar o menos possível, não acreditar em nenhum pensamento que não tenha nascido ao ar livre e em livre movimentação — quando também os músculos estiverem participando da festa. Todos os preconceitos vêm das vísceras... A vida sobre as nádegas é que é o verdadeiro pecado contra o espírito santo."

* * *

"A influência climática sobre o metabolismo, sua redução e seu aumento, vai tão longe que uma escolha errada no que diz respeito ao lugar e ao clima pode não apenas alienar alguém de sua tarefa, como também chegar ao ponto de evitar que ele chegue até ela. (...) O gênio é condicionado pelo ar seco, pelo céu límpido..."

* * *

"A escolha da alimentação; a escolha do clima e do lugar... A terceira coisa na qual a gente não pode errar — a nenhum preço — é na escolha do seu tipo de recreação. No meu caso, faz parte da minha recreação ler tudo: ler me relaxa da minha própria seriedade. (...) Essas pequenas coisas — alimentação, lugar, clima, recreação e toda casuística do egocentrismo — são mais importantes — quaisquer que sejam os critérios — do que tudo aquilo que foi tido como importante até o momento."

* * *

"Eu acredito apenas na formação francesa e considero todo o resto que se faz na Europa em termos de formação um equívoco — sem falar na formação alemã..."

* * *

"Talvez eu sinta inveja de Stendhal, no fim das contas? Ele me arrancou a melhor piada de ateísta: 'A única desculpa de Deus é o fato de não existir'."

* * *

"Quando a gente quer se livrar de uma pressão insuportável, o haxixe é necessário."

* * *

"O que eu quero da música: que ela seja alegre, serena e profunda como uma tarde de outubro."

* * *

"O erudito, que no fundo se limita apenas a 'moer' livros, ao fim das contas acaba perdendo por completo a capacidade de pensar por si mesmo. Eu vi com meus próprios olhos: naturezas talentosas, de tendência livre e fértil, 'lidas à ruína' já aos trinta anos, simples palitos de fósforos, que têm de ser friccionados para soltar faíscas — soltar pensamentos..."

* * *

"Que a gente se torne o que a gente é pressupõe que a gente não saiba, nem de longe, o que a gente é."

O portador

Existe uma acepção da palavra "portador" que só quem conhece são os que partiram cedo da casa dos pais para morar noutras bandas. Quem deixou o conforto dos seus para se aventurar por aí, estudando na capital, trabalhando em outro estado, errando e acertando sozinho por esse mundo de meu Deus.

O portador representava, então, aquela pessoa que vinha trazendo uma comida gostosa, uma fruta da região, um presente, um regalo qualquer dos amados lá longe. "Quando aparecer um portador, eu mando para você", dizia a mãe ou o pai, por carta ou ao telefone. Nem o carteiro mais rápido do mundo poderia superar, em presteza e dedicação, o portador com seu pacote. Mais do que matar a saudade de algum acepipe da terrinha, o portador trazia um afago, uma mensagem implícita de que você, filho pródigo, mesmo longe dos olhos, continuava perto do coração. Que não fora esquecido. Será que, no fundo, portador quer dizer "aquele que porta-a-dor"?

Com o tempo, o portador foi ficando cada vez mais raro. As pessoas passaram a sentir vergonha de pedir o favor, de incomodar, de tirar o viajante de seu planejamento para ir ao encontro do parente perdido entregar a encomenda. O portador virou uma espécie em extinção, o que é uma pena, porque, ao contrário dos correios, era grátis. E era esta, aliás, a principal vantagem que via nele a parentada disposta a agradar a ovelha desgarrada.

Lembrei-me do portador ao ver a belíssima exposição itinerante em homenagem aos 100 anos de Luiz Gonzaga, *O imaginário do rei*. Tudo em Gonzaga remete ao retirante, ao filho que partiu rumo ao desconhecido em busca de fortuna — no caso dele, fama e fortuna. Longe do aconchego do lar, aprendendo a dobrar os lençóis e a passar a roupa, a fazer a própria comida, a viver a vida tendo a saudade como principal companheira.

Está tudo lá, naquelas xilogravuras rústicas, nas fotos do sertão seco de chuva e úmido de lembranças. Imediatamente me veio à memória a canção *No dia que eu vim-me embora*, de Gil e Caetano, que tantas vezes me fez chorar no exílio voluntário da casa materna, e que o Lua também gravou. "Mala de couro forrada com pano forte brim cáqui/ Minha vó já quase morta/ Minha mãe até a porta/ Minha irmã até a rua/ E até o porto meu pai". Nem chorando nem sorrindo, sozinho pra capital...

E não é que na história de Luiz Gonzaga também teve um portador? No início da carreira, o futuro rei do baião chegou a se apresentar tocando tangos com sua sanfona (belamente, diga-se de passagem), como um Carlos Gardel da caatinga, até que resolveu encarnar o sertanejo nordestino típico, inspirado em Lampião. Ele mesmo contou ao Pasquim em 1972:

"Naquela época, eu percebia que todo cantor regional, todo cantor estrangeiro, tinha uma característica própria. O gaúcho, aquela espora, bombacha, chapelão. O caipira tinha lá o seu chapéu de palha. O carioca tinha a famosa camisa listrada e o chapéu-coco. Os americanos, os *cowboys*. Quando Pedro Raimundo veio para cá vestido até os dentes de gaúcho, eu me senti nu. Eu digo: 'Por que o Nordeste não tem a sua característica? Eu tenho que criar um troço'. Só pode ser Lampião. Apanhei por causa de Lampião. Eu digo: 'Eu vou usar o chapéu de Lampião'. Aí escrevi para a mamãe pedindo um chapéu de cangaceiro com toda urgência. No primeiro portador que ela teve, ela mandou o chapéu.

"Rapaz, quando eu botei o pé no palco da Rádio Nacional só faltaram me matar de raiva. 'Como é que você, um mulato formidável, um artista fabuloso, se passa por um negócio desse? Reviver o cangaço, cangaceiros, facínoras, ladrões, saqueadores?' Eu disse: 'Não se trata disso. É outra coisa. Eu agora sou um cangaceiro musical.' Aí fiquei com essa característica."

Grande portador! Saudade de tu, homem. E de Luiz Gonzaga também.

Cinco coisas bizarras sobre ter 40 anos

1. Você cria toda uma expectativa sobre os quarenta anos e... chegam os quarenta e não muda nada. Aí você pensa: que besteira, é igual a ter vinte. E sai assobiando. Até que um dia, de uma hora para outra, para de enxergar de perto. Segundo a ciência, a presbiopia, que é como se chama isso, é, na verdade, gradual: os músculos ciliares vão enrijecendo. Papo furado. É literalmente do dia para a noite: num dia você tá

lendo até bula de remédio; na manhã seguinte, não enxerga um palmo adiante do nariz. Passa a ser impossível digitar mensagens no celular, ler o jornal e até espremer espinhas no rosto. Fazer as sobrancelhas, então, nem pensar. Você vai achar que elas estão perfeitas, até que um dia olha em um espelho de aumento e descobre que está parecendo o Cláudio Lembo. O lado bom é que tampouco dá para enxergar as rugas. Aconselho tirar os óculos sempre que for se olhar no espelho.

2. Aí você passa a usar óculos de leitura e entra subitamente para o estranho mundo das pessoas que usam óculos. Você vai assoprar o chá e os óculos embaçam. Vai escorrer o macarrão e os óculos embaçam. Como é que esse povo se vira a vida inteira assim? E os óculos são só para perto, então tem que botar e tirar toda hora. Tá no computador, bota. Conversa com o colega, tira. Vai ler a receita, bota. Vai cozinhar, tira (porque embaça!). O lado bom é que usar óculos tá na moda — agora quem usa óculos não é mais "quatro-olhos", é *hipster*. E tem um monte de armações lindas. Mais legal ainda é que parece que os óculos dão um *up* instantâneo no QI: é só colocar e você imediatamente se sente superinteligente. É tipo o Clark Kent com a força, só que ao contrário.

3. Você faz exercícios, cuida da alimentação direitinho e seu corpo está razoavelmente em forma. Mas de repente aparece... uma pancinha. Gente, que pancinha é essa? Você vai pro Google e descobre que as mulheres depois dos quarenta anos possuem uma tendência a acumular gordura abdominal. Que bela porcaria. A solução é perder uns três quilinhos. Só que tem uma coisa que você não sabia: perder três quilinhos aos vinte não é a mesma coisa que perder três quilinhos aos quarenta. Aos vinte, para perder peso basta brigar com o namorado e passar três dias triste, sem comer, que emagrece. Aos quarenta, você pode passar uma semana inteira chorando e comendo folha que não perde nada! É impressionante! Tem um ditado japonês (ou chinês, sei lá) que diz que para manter a forma depois dos quarenta o ideal é "comer a metade e se exercitar o dobro". É bacaninha isso, mas na verdade parece que o

ideal é comer um décimo e se exercitar o triplo. O jeito é transformar a barriga em seu *personal Sísifo*: em vez de empurrar uma pedra para cima de uma montanha pela eternidade, você vai empurrar a barriga para dentro. PARA SEMPRE.

4. A idade em que se chega à menopausa varia de mulher para mulher, a depender se menstruou mais cedo ou mais tarde. Então, é possível que ela chegue aos quarenta ou aos cinquenta. O fato é que aos quarenta e poucos a menstruação, nossa infalível companheira de todos os meses desde a adolescência, se transforma em uma filha ingrata. Nos visita uma vez, depois some por três meses, volta, passa outros seis sem aparecer... Até que... pimba! Some de vez. E aí você, que detestava menstruar, descobre a coisa mais estranha do mundo: está com saudade daquela vermelhinha fujona! Começa a criar expectativa de que ela volte algum dia... E nada. Porque a menstruação tem uma função como que purificadora, é como se lavasse a gente toda por dentro quando chega. Sabe aquela história de "incomodada ficava a sua avó"? Maior balela. Vovó estava na menopausa e não ficava incomodada coisa nenhuma. SDDS, menstruação!

5. Quando você descobre o lado divertido destas coisas todas já está chegando perto dos cinquenta.

A importância de ser honesto

Frases célebres sobre honestidade:

"Só há uma forma de saber se um homem é honesto: perguntando. Se responder 'sim', já sabemos que é corrupto." (Groucho Marx)

"O segredo da vida é a honestidade e o jogo limpo. Se você conseguir simular isto, conseguiu." (Groucho Marx)

"A honestidade é incompatível com a acumulação de uma grande fortuna." (Gandhi)

"Honestidade: a melhor das artes perdidas." (Mark Twain)

"A honestidade é a melhor política." (Benjamin Franklin)

"Devemos fazer do mundo um lugar honesto antes de dizer honestamente às nossas crianças que a honestidade é a melhor política." (George Bernard Shaw)

"A honestidade pode ser a melhor política, mas é importante lembrar que aparentemente, por eliminação, a desonestidade é a segunda melhor política." (George Carlin)

"Espero ter sempre firmeza e virtude para conservar o que considero o mais invejável de todos os títulos: o caráter de homem honrado." (George Washington)

"O que as leis não proíbem, pode proibi-lo a honestidade." (Sêneca)

"Tem muita gente honesta neste país. Só não se identificam para não ficar de fora se aparecer um bom negócio." (Luis Fernando Verissimo)

"A honestidade é, na maioria dos casos, menos proveitosa que a desonestidade." (Platão)

"Tem gente que se acha honesta só porque não sabia da mamata." (Millôr)

"Não acredito em honestidade sem acidez, sem dieta e sem úlcera." (Nelson Rodrigues)

"Muitas vezes é a falta de caráter que decide uma partida. Não se faz literatura, política e futebol com bons sentimentos." (Nelson Rodrigues)

"Nenhuma herança é tão rica quanto a honestidade." (Shakespeare)

"Se o desonesto soubesse a vantagem de ser honesto, ele seria honesto, ao menos por desonestidade." (Sócrates)

"Clareza na ideia; pureza no coração; sentimento como guia; honestidade como religião." (Emicida)

"Um herói é sempre um herói por equívoco; como todo mundo, sempre sonhou ser um covarde honesto." (Umberto Eco)

"A integridade não precisa de regras." (Albert Camus)

Feios, sujos e malvados

Tem homens que envelhecem. Outros *clinteastwoodizam-se.*

Os *clinteastwoods* não perdem o gosto pelos saloons. Nunca. E ainda desfrutam muito bem da sensação que provocam ao entrar, olhando reto, empurrando a porta vaivém com o antebraço. Forte, não. Firme.

Um *clinteastwood* chega sem estardalhaço. Com seu chapéu, metafórico ou não, de aba despencada sobre a cara, sombreando metade do rosto, apenas. O suficiente.

Não é de muito falar, mas pode. Não é de muito dançar, mas pode. Sabe beber. Definitivamente fuma.

Pede seu drinque de pé no canto do balcão, ali onde uma luz solitária ilumina sua cabeça sob o sombrero e deixa o rosto ainda mais encoberto. O mistério está para um *clinteastwood* como seu chapéu (metafórico ou não): são inseparáveis.

Eventualmente, alguém virá até *clinteastwood,* que, do seu canto, observa o saloon inteiro, personagem por personagem, com os olhos semicerrados e a boca num eterno meio sorriso, enquanto a fumaça do cigarro brinca sob a aba do companheiro chapéu.

Não é uma seduçãozinha qualquer que vai arrastá-lo pro quarto de cortinas esvoaçantes do andar de cima e ensaboá-lo dentro da tina fumegante. Se uma coisa *clinteastwood* aprendeu a ter na vida foi pontaria.

Há, é claro, outras opções.

Tem homem que se *woodyalleniza*. À medida que os anos passam, as pequenas manias se acentuam. Sente dores nas juntas. Coleciona remédios no armário do banheiro e acompanha ansioso os últimos lançamentos em relaxantes musculares e antidepressivos. Para ele, a frase mais importante da história da humanidade não é "Eu te amo", e sim "É benigno!". Nunca recebe alta do psicanalista. Tem medo de mulher e fobia de aranha — haverá relação entre as duas?

As idiossincrasias dos *woodyallens* atraem fêmeas compreensivas, com tendência à maternidade. Dizem: "Ai, como é fofinho esse jeito dele, tão indefeso!". Tanta angústia existencial, às vezes, é puro disfarce para perversões. Não estranhe se *woodyallen* fugir com sua filha adolescente, sua irmã ou sua melhor amiga. Nem mesmo se ele se declarar para aquele seu amigo *gay*.

E há os que se *marlonbrandam*. Engordam terrivelmente. Sua única paixão passa a ser, além de comer muito, o sexo. A Bill Clinton, sobretudo. Nada que demande movimentos em excesso.

Os marlons são bons de papo. Cheios de experiência e um passado de glórias a compartilhar. Sabem conquistar pela inteligência, mesmo porque, pelo físico... Moças delicadas se atiram aos montes no colo aconchegante dos *marlonbrandos*, grandalhões e protetores. Seu sarcasmo é irresistível. Dormir a seu lado, nem tanto. Os marlons roncam.

Adoro conversar com os marlons. Sou íntima dos woodys. Mas os clints, como diria Manuel Bandeira, me invocam, me bouleversam, me hipnotizam. Meu reino pelos *clinteastwoods*.

São deliciosamente difíceis de conquistar, sabem agarrar uma mulher pela cintura como nenhum outro e mantêm na dose exata sua masculinidade: nem tanta que pareça machismo nem pouca que emule metrossexualidade. Os *clinteastwoods* são os antimetrossexuais por excelência. Nada de protetor 50 sob o calor causticante do deserto. A pele é assim mesmo, minha filha: marcada e curtida pelo sol e pelo tempo. Não gostou? Azar.

Acima de tudo, os clints são livres como o vento — e como todo homem deveria ser. A qualquer momento, podem pegar o cavalo e sair a galope. É preciso saber segurá-los a cada dia.

Eu só trocaria um *clinteastwood* por um *marcellomastroianni*: sensível como um woody, viril como um clint e protetor como um marlon. Mas os marcellos só existem no cinema, mesmo.

Publicado originalmente na revista VIP, em dezembro de 2005.

O iPhone ou a vida

Você sabe o que é nomofobia? É o pânico de ficar sem o celular. A pessoa esquece o celular em casa e surta com a incapacidade de se comunicar. Rói as unhas. Sua frio. Fica deprimida. Vem do inglês No-Mo, abreviatura de No-Mobile. Sem-celularfobia, por aí. Eu acho hilário, é muita agonia de ficar incomunicável. Síndrome de abstinência, como qualquer droga.

Já existem estudos sobre o vício em smartphones. A universidade de Stanford, nos EUA, pesquisou seus estudantes e 44% se confessaram adictos ao iPhone (isso em 2010); 41% disseram que perdê-lo seria "uma tragédia". Bom, nem precisa de estudo para ver que os smartphones estão em toda parte. Nos últimos anos, a cena do dedinho correndo pela pequena tela passou a integrar a paisagem urbana nos ônibus, metrôs, *shopping centers*. E aeroportos. Me impressiona toda vez que eu pego um avião: mal o bicho estaciona e as pessoas ligam seus aparelhos e começam a deslizar os olhos pela correnteza de informação sob o indicador. Enquanto a esteira da bagagem roda, todo mundo encosta o braço no carrinho de bagagem e se distrai no iPhone. Esperando o táxi, idem. Dentro do táxi.

Qualquer espera é desculpa para "checar". Quantas vezes você checou seu celular hoje? É como se o mundo fosse uma imensa e eterna sala de espera e o iPhone fosse a *Caras*, aquela revista de fofocas que a gente folheia enquanto aguarda a vez no dentista. Muito melhor, eu sei, com mais informações sobre outros assuntos, mas, no fundo, igual. O objetivo é distrair, fazer o tempo passar. Normal. Mas tem uma questão que me incomoda: quando foi que perdemos a capacidade de observar o que acontece ao redor para nos distrair? De observar personagens, detalhes, lugares? Quando perdemos a capacidade de nos entretermos simplesmente pensando? Ou será que fugimos das coisas que ocupariam nossa cabeça? O medo de ficar sem iPhone, a nomofobia, não seria, na verdade, o medo de ficar sozinhos com nossos próprios pensamentos?

O celular e o smartphone viraram as nossas muletas. Apoiamo-nos neles quando nos sentimos sós, carentes ou tristes. É o mesmo que acontece com as redes sociais — eu também faço isso, não pensem que não. Fugir para as redes sociais quando é preciso desanuviar a cabeça, assim como fazia (e tem muita gente que ainda faz) com a televisão. Estar conectado muitas vezes é uma maneira de não pensar. A diferença é que, com o smartphone, você leva as redes junto. As minhas ficam em casa, só tenho um celular comum. Gosto de me distrair com minha mente, toca música na minha cabeça muitas vezes, e eu pretendo sempre me disciplinar a prestar atenção no lado de fora da tela, em quem me cerca.

Fugir dos próprios pensamentos é péssimo, mas é ainda pior quando se junta à falta de educação que parece ser um aplicativo dos aparelhos. Tem gente que agora leva os smartphones para seus encontros com os amigos e, em vez de prestar atenção na conversa, fica olhando para o celular, dedinho rolando, rolando... A vida dentro dos aparelhos, as notícias, os vídeos, se tornou mais interessante do que a vida e as pessoas do mundo real? Que perigo.

Não tenho nada contra os *gadgets* eletrônicos, acho interessantes, úteis. Mas desconectar é bacana e bota seu cérebro para funcionar, aperta o botãozinho das ideias próprias. Não permita que o iPhone se torne seu melhor amigo. Nem o cigarro. Nem o álcool. Nem droga nenhuma.

O crente, o grato e o temente

Existem três tipos de pessoas que acreditam em Deus: os que creem em Deus Pai Todo-Poderoso; os que, mesmo tendo dúvidas de sua existência, são gratos a Ele; e os que temem ao Senhor.

Quem crê, os do primeiro grupo, entrega aos desígnios divinos seu futuro. Colabora, claro, mas tem o lastro da fé para levar o barco adiante. É inegável o quão reconfortante pode ser isso, ter um alguém etéreo ali do lado nos empurrando, zelando por nós, indicando o caminho, aquecendo o coração. Se tudo der errado, ainda podemos ser caridosos, corretos e bons e por isso contar com a vida eterna, relaxados em um *lounge* de nuvens macias que nem algodão egípcio, para todo o sempre.

Quem é grato não tem muita fé, para dizer a verdade. Geralmente, só recorre a Deus em momentos de precisão. Quando viaja de avião, por exemplo, não sei se pela proximidade com o céu, sempre se lembra de Deus. Na hora de torcer por algo importante. Quando tem algum caso de doença na família. Faz inúmeras promessas mentais, depois providencialmente esquecidas e nunca cumpridas. Mas apesar de um tantinho interesseiro, sempre agradece o que conseguiu. A Deus ou ao destino ou à natureza ou simplesmente retribui de alguma forma a graça alcançada. Agradece. E não é a Ele a quem presta contas quando erra, mas à sua própria consciência.

Os tementes não baseiam sua ligação com Deus na fé ou na gratidão, mas na culpa. A religião vira uma barganha: se você fizer o que Ele manda, Deus vai te dar tudo, inclusive dinheiro; mas se você não fizer o que Ele manda e der tudo, inclusive dinheiro, Deus irá te punir. Este é o problema com o pentecostalismo e o neopentecostalismo, em minha opinião. Pregar que não basta crer em Deus ou ser grato a ele, é preciso temê-lo. E expiar a culpa toda vez que fizermos algo "errado" — "errado" sob a interpretação canhestra de pastores sobre as Escrituras, sob a ótica pouco generosa de homens que se dizem de Deus sobre o Livro Sagrado.

"Jesus disse que para entrar no céu tem que ser como as criancinhas", pregam os pastores, como se não fosse possível viver a vida livremente, crendo ou não em Deus, e guardar dentro de si a pureza das crianças. Não fazer mal ao próximo é o suficiente para conservá-la. E os pastores, fazem bem ao próximo? Querem bem ao próximo? "Deus enxerga o ser humano por dentro. Deus fulmina quem o afronta. Ninguém afronta a Deus e sobrevive." Pecado. Culpa. Medo. Não vejo fé nenhuma nessas palavras, muito menos compaixão.

Não é à toa que tantos ex-pecadores e ex-pecadoras, dilacerados pelo arrependimento, convertem-se a essas igrejas. Não foi a fé que os guiou até a porta daquela casa de Deus, mas a culpa. Não foi a gratidão e nem mesmo o desespero. Um dia, esses ex-pecadores e ex-pecadoras virarão pastores e pastoras. E transmitirão seu temor e sua culpa aos fiéis, os farão acreditar que é preciso amordaçar os desejos, os prazeres e as alegrias para que Deus não os castigue. Se você se comportar direitinho, terá merecimento a uma vida feliz e bem-sucedida. Se algo vai mal é porque está pecando, e lá vamos nós de volta à espiral de medo e culpa. Adorar a Deus? Se sobrar um tempinho...

Eu respeito muito quem crê em Deus e quem é grato a Ele, mas desconfio dos que temem a Deus. Quem não deve não teme, diz a sabedoria popular. Se teme, é porque deve alguma coisa. O que devem os que temem?

#SEXUALIDADE

O cinema brasileiro encaretou Cazuza e Renato Russo

Dois ídolos, duas cinebiografias e algo em comum: a tentativa de amenizar a homossexualidade de ambos. *Somos tão jovens*, de Antonio Carlos da Fontoura, sobre a vida de Renato Russo, comete exatamente o mesmo erro de *Cazuza — O tempo não para*, de Sandra Werneck e Walter Carvalho, de 2004. A homossexualidade assumida de Renato, assim como a de Cazuza, é transformada em uma bissexualidade que não houve em nenhum dos casos. É como se, ao apresentar os dois à juventude atual, os diretores/produtores quisessem torná-los mais palatáveis, quase "normaizinhos", algo que tanto um quanto o outro odiariam.

Cazuza e Renato Russo se foram cedo deste mundo, vítimas da AIDS: Cazuza, em 1990; Renato, em 1996. Em sua vida louca, vida breve, nenhum dos dois jamais almejou ser modelo de comportamento para ninguém. Qual é? Renato brigou do palco com um estádio inteiro, o Mané Garrincha, em 1988. Cazuza mostrava a bunda para a plateia em suas últimas apresentações. Eram autênticos, verdadeiros, viscerais. Nunca abriram mão de suas convicções e de sua loucura poética, até o último momento.

Na época em que foi lançado o filme de Cazuza, o próprio pai do cantor, João Araújo, veio a público criticar os cortes nas cenas de sexo. "Quiseram ter muito cuidado com o lado homossexual de Cazuza. No que começaram a tomar cuidado demais, para não transparecer e para não virar filme proibido para menores, afastaram-se bastante da realidade", disse Araújo aos repórteres Pedro Alexandre Sanches e Silvana Arantes, da *Folha de S.Paulo*. Parceiro de Cazuza no Barão Vermelho, Roberto Frejat estranhou o tratamento dado no filme ao amigo, que aparece transando com mulheres. "Nunca vi prática heterossexual nele. Teve, sim, mas quando não estava completamente convencido de ser *gay*, bem antes de me conhecer." Sintomaticamente, Ney Matogrosso, amigo íntimo e ex-namorado de Cazuza, simplesmente desapareceu da versão final.

Com o líder do Legião Urbana a coisa foi parecida — com a diferença de que o filme sobre Cazuza é razoável, e o sobre Renato, ruim. Um desperdício, aliás, porque encontraram um ator, Thiago Mendonça, bastante semelhante a Renato Russo e com boa voz para viver o protagonista, mas o filme se perde em um roteiro fraco, digno da série *Malhação* se fosse feita pela Record.

Todo mundo que conviveu com Renato em Brasília sabe que ele era muito menos comportado (para dizer o mínimo) do que o garoto sensível e "família" retratado no filme. E que, apesar de ter escrito "gosto de meninos e meninas", seus casos mais notórios sempre foram com homens. Em *Somos tão jovens*, provavelmente também para fugir da censura 18 anos, como aconteceu com o filme de Cazuza, a questão *gay* se transforma em algo lateral na vida de Renato e a história se centra em uma personagem feminina que nunca existiu, espécie de amiga-namorada do jovem compositor.

Pior: Renato transa com Aninha, mas não aparece beijando um homem na boca nem uma só vez no filme, como se fosse bacana para uma obra cinematográfica se pautar pelos mesmos (e condenáveis) parâmetros das novelas das nove globais. Os produtores podem até recorrer à desculpa de que o filme aborda a época anterior à fama de Renato Russo, ainda adolescente: é o "retrato do artista quando jovem", já que o longa termina quando o Legião Urbana começa a fazer sucesso. Mas, mesmo nesse período, é conhecido o fato de que o cantor já tinha um namorado fixo. Homem. Então não se trata de licença poética, mas de uma mentira contada a plateias adolescentes inteiras. Renato não tinha nada do menino pueril que aparece no filme. E era *gay*. Não "mais ou menos *gay*". Ponto.

Para os fãs mais velhos de Renato e de Cazuza, fica na boca um gosto de traição. Por que os filmes feitos sobre os nossos ídolos precisam suavizar as biografias deles? Qual o problema em escancarar que eles tinham uma vida louca, sim, que experimentaram drogas, que bebiam e que eram felizmente *gays*, assumidos? Sinal dos tempos neoconservadores que vivemos? Como diria Cazuza, vamos pedir piedade, Senhor, piedade. Para essa gente careta e covarde.

Comunistas transam melhor?

O documentário *Liebte der osten anders?* ("Comunistas transam melhor?", na tradução do título em inglês), dirigido em 2006 por Andre Meier, parte da premissa, comprovada estatisticamente, de que no lado comunista do muro de Berlim as pessoas faziam mais e melhor sexo que do lado capitalista, e tenta explicar por que. É surpreendente descobrir que, apesar da censura e da proibição da pornografia, os alemães orientais (e, sobretudo, as alemãs) tinham mais liberdade sexual do que os ocidentais. Mais orgasmos, inclusive.

A principal razão, defende Meier, é que, até a descoberta da pílula, as comunistas eram mais independentes do que as comportadas alemãs do lado capitalista. Durante a Segunda Guerra, com os homens no *front*, as mulheres alemãs foram obrigadas a ir à luta para sustentar a família e aprender tarefas consideradas "masculinas", como construir casas. Depois que eles voltaram, porém, enquanto na República Federal da Alemanha (capitalista) as mulheres retornaram às prendas domésticas, na República Democrática da Alemanha (comunista) elas continuaram trabalhando fora. No final dos anos 1960, uma em cada três mulheres trabalhava fora na Alemanha Ocidental; do lado Oriental eram 70%. Historiadores e sexólogos defendem no documentário que este papel protagonista da mulher influía positivamente em sua vida sexual.

"Em nenhuma área a emancipação feminina avançou tanto quanto na sexualidade. As mulheres davam as regras na cama. Isso era muito típico da Alemanha Oriental", diz um especialista ouvido no filme. "Mais tarde as alemãs orientais foram reduzidas a caricaturas, mas eram elas que usavam as calças", afirma outro. Ele fala isso e eu penso imediatamente em Angela Merkel, a toda poderosa chanceler que cresceu do lado comunista. Merkel foi beneficiada por uma emancipação que começara já no pós-guerra. Ou seja, quando as ocidentais passaram a lutar para conquistar espaço no mercado de trabalho, a maioria das orientais já possuía uma carreira.

Outros fatores para a liberação, por incrível que pareça, partiram do estado comunista. Se do lado capitalista não houve educação sexual nas escolas até meados dos anos 1960, em 1962 os alemães orientais já assistiam a programas sobre o assunto na televisão, voltados para crianças. Na Alemanha Oriental o casamento perdeu muito cedo a função de legitimar a sexualidade. Homens e mulheres também dividiam as tarefas do lar, bem antes que isto se tornasse uma questão no ocidente. O aborto foi legalizado na Alemanha comunista em 1972! Os alemães orientais sofriam a repressão do estado, mas não a da igreja como os ocidentais, com efeito enorme sobre a sexualidade. Livres da religião, os/as comunistas se dedicavam sem culpa aos prazeres da carne. A alcova não era alvo da Stasi, a temida polícia secreta.

De acordo com o documentário, nos anos 1970 e 1980 os heterossexuais gozavam de liberdade sexual quase plena na Alemanha Oriental. O mais importante sexólogo do lado comunista, Siegfried Schnabl, deu a deixa em uma entrevista: "Lenin disse que sob o comunismo não deveríamos aspirar ao ascetismo, e sim aos prazeres da vida. Isso inclui uma vida amorosa satisfatória".

Outro aspecto interessante é que, do lado comunista, a prática do nudismo era amplamente aceita e começava no seio familiar. Isso explicaria a foto que circulou na rede da senhora Merkel nua numa praia da Alemanha Oriental durante a juventude — há dúvidas se é ou não a chanceler, mas que parece, parece.

Tudo muda com a queda do muro, em 1989, e a chegada da pornografia e da prostituição. Mas será que, pelo menos sexualmente, os comunistas eram mais felizes e não sabiam?

Entendo que o diretor quis focar no mundo hetero e no feminismo, mas faço um reparo à ausência no filme do tema da homossexualidade, bastante reprimida pelos regimes comunistas de maneira geral — que o digam os cubanos. Outro documentário, *Unter Männern — Schwul in der DDR* (*Entre homens — gay na RDA*), de Ringo Rösener e Markus Stein, aborda o tema e conta que houve repressão à homossexualidade também na Alemanha Oriental. Mas não foi, parece, tão grave como o que ocorreu na URSS ou em Cuba. Pelo contrário, houve certa liberdade para os *gays* nos primeiros anos da Alemanha comunista, que descriminalizou a homossexualidade um ano antes que a Alemanha Ocidental. O próprio sexólogo Schnabl publicou textos onde defendia a existência dos homossexuais como "normal".

Sem contar que aqueles beijaços na boca que o presidente alemão oriental Erich Honecker gostava de sapecar nos colegas comunistas eram meio homoafetivos, né não? Dizem que a comunistada saía correndo quando o Honecker aparecia. Bem, nem todos.

O machão e o machista

Fecho os olhos e tento lembrar a primeira vez que percebi alguém de outro sexo diante de mim. Teria seis, sete anos, não sei. Sei que senti algo de diferente nele, de estranho. Não importa que ambos estivéssemos vestidos: estava na cara. Ele me provocou curiosidade instantânea... e uma certa raivinha. Um cabo de guerra invisível imediatamente se instalou entre nós. Havia uma coisa desafiadora naquela criança à minha frente, que, hoje, não posso dissociar do fato de ele ser um menino e eu, uma menina.

A guerra dos sexos tem um lado *sexy*. Desde crianças, meninos e meninas se provocam em um jogo de sedução que tem muito a ver com sermos de gêneros distintos. Quem nunca se apaixonou por aquele menino ou menina com quem vivia às turras na escola? Atrito provoca desgaste, mas também faísca. Fico pensando até que ponto a busca utópica da "relação ideal", "harmônica", entre homens e mulheres, nos interessa de fato. Tenho dúvidas.

Dizem que as reais diferenças entre homens e mulheres são apenas anatômicas e culturais. Concordo com o "apenas" em anatômicas, mas não em culturais. Me parece que o aspecto da "construção cultural" das diferenças entre os sexos é subestimado nas análises que leio sobre a questão dos gêneros. Principalmente o papel do entorno mais próximo nesta construção.

A forma como alguém é criado influencia em quase tudo em sua vida e interfere profundamente nas escolhas sentimentais. No caso das relações heterossexuais, não só a forma como os homens são criados, mas a maneira como nós, mulheres, somos criadas. Que tipo de pai tivemos? Isso vai dizer muito sobre o tipo de homem que nos atrai. E a atração nem sempre é racional. Aliás, não é racional de forma alguma. Não se explicam racionalmente as afinidades de pele, de cheiro.

Para diluir essa "construção cultural" das diferenças entre os sexos, as feministas pretendem, então, intervir na forma como os homens são criados, na tentativa de gerar um "novo homem". Ou seja, intervir na mentalidade das famílias e, sobretudo, na cabeça das próprias mulheres, porque somos nós que criamos os homens como eles são. "Reeducar" os homens, como querem as feministas, é uma tarefa hercúlea que esbarra numa dificuldade igualmente gigantesca: nós, que criamos os homens "assim", em geral nos sentimos atraídas por homens "assim" porque nossos pais também eram "assim". Assim como? Machões, ora.

É claro que seria maravilhoso que educássemos nossos filhos homens da mesma maneira que criamos as meninas: ajudando nas tarefas de casa, por exemplo. É absurdo que ainda existam diferenças tão profundas neste sentido. Mas não acho fundamental que se diluam todas as diferenças culturais. No afã de propiciar uma criação igualitária, é preciso ter cautela para não transformar o "não gênero" em outra espécie de repressão.

Sou contra acabar com os machões. Gosto deles porque são imperfeitos, sua imperfeição me fascina. O machão tem um charme que só os machões têm. É algo a se preservar, não a se extinguir. As mulheres devem fugir dos machistas como o diabo da cruz. Quanto aos machões... Bem... É inegável que eles têm uma pegada que agrada parcela considerável da população feminina, para horror das feministas. São machões porque foram criados desse jeito — mas, atenção, não são necessariamente machistas.

As diferenças entre o homem machão e o homem machista são sutis, mas a principal delas é que o machão é inofensivo. Toda aquela macheza e, no fundo, é uma moça. Manteiga derretida. O machão é encrenqueiro, nervosinho. O machista é violento. O machista quer submeter a mulher, subjugá-la. O machão, só se for de brincadeirinha... Obviamente, descobrir qual é qual envolve certo risco. Mas pode ficar tranquila: o machão só seria capaz de bater POR você, não EM você. Não tem a ver com a aparência do rapaz: ele pode ser magrinho e sensível, mas possuir um insuspeitado toque de machãozice.

Se você é uma das mulheres que gostam de machões, melhor não partir para o confronto; mais vale não levá-los tão a sério, saber rir das idiossincrasias deles — até porque nós também temos as nossas. Sabendo levá-los, os machões se mostram bons companheiros e ótimos pais. Carinhosos, atenciosos, amorosos. Talvez a macheza seja mesmo um disfarce, uma defesa, quem sabe um jogo de cena?

O machão é um cavalheiro incorrigível. Curte tratar uma mulher de maneira totalmente distinta da que trataria um amigo. É especialista em agradar o gênero feminino, sim, e as mulheres que gostam deles adoram. Cavalheirismo, para o machão, é sinônimo de gentileza. E nem adianta tentar argumentar contra. Só tome cuidado para não confundir o machão com o cafajeste. É fácil descobrir a diferença: o machão será gentil com você e suas amigas; o cafajeste será gentil com suas amigas, não com você.

O machão é meio folgado, verdade, mas não quer mandar em você. O desejo do machista passa por dominar a mulher; o do machão, por proteger. O machão morre de ciúmes, mas não a ponto de pretender acorrentar a parceira ao pé da mesa. "Você tem ciúme, mas gosta de me ver rebolar": Rita Lee já sabia. Portanto, garotas, ao se deparar com um machão, cuidado para não tratá-lo como inimigo. Ele não é.

As feministas dirão que este "machão" de que falo é o machista sutil, benevolente. Eu direi que ninguém é perfeito.

O medo do hetero diante do *gay*

Outro dia, numa festa, um grupo de homens comentava numa rodinha que um amigo tinha virado *gay*. Separou da mulher e virou *gay*. Assim, como quem descobre de um dia para o outro que prefere uva a maçã. "Eu sempre achei que ele levava jeito", disse um deles. Não foi o suficiente para acalmar os demais. Reparei na risada um tanto nervosa daqueles machos cinquentões, como se aquele acontecimento tivesse o poder de balançar suas certezas, de lhes plantar uma pulga atrás da orelha: será que eu também...? Não foi a primeira vez que presenciei conversas do gênero. Ao contrário, elas têm se tornado cada vez mais frequentes.

Tenho notado também que, nos últimos tempos, volta e meia aparece uma notícia bizarra envolvendo o tornar-se homossexual num piscar de olhos. Literalmente. Em novembro passado, veio à tona a história do jogador de rúgbi britânico que, ao acordar do coma após sofrer um AVC, se descobriu *gay*, pintou o cabelo, emagreceu, começou a malhar na academia e arranjou um namorado. "Sei que parece estranho, mas quando ganhei consciência, imediatamente me senti diferente. Não estava mais interessado em mulheres, eu era definitivamente *gay*. E nunca tinha sentido atração por homens antes", jurou o rapaz.

Há duas semanas, uma transexual americana de quarenta anos revelou que no passado se chamava Ted, era felizmente casado com uma mulher e tinha dois filhos, até que, em uma tarde ensolarada de primavera, foi picado por uma abelha. Seu organismo passou então a perder testosterona, o hormônio masculino. Ao passar as mãos sobre sua pele e senti-la macia, gostou da metamorfose e resolveu ir mais fundo: fazer uma cirurgia de mudança de sexo. Ao contrário do jogador de rúgbi, porém, ela admitiu que, quando criança, brincava de se vestir de menina e tinha sentimentos ambíguos em relação à sua identidade.

Vejo dois sintomas aí: um é a relativa conveniência da situação. Deve ser bem mais cômodo atribuir a homossexualidade a um AVC ou a uma picadura (ops) de abelha do que admitir que sempre sentiu atração por pessoas do mesmo sexo. Algo como: "Ah, eu era super-hetero e tinha três namoradas, até que um raio caiu na minha cabeça numa sexta-feira 13 e virei *gay*". Ou: "Eu tinha uma família adorável com mulher e cinco filhos, mas um dia tomei por engano uma caixa de paracetamol e agora me sinto atraído por homens". Num passe de mágica, contorna-se o conflito com a família e a sociedade: foi só um efeito colateral, gente.

Outro sintoma, mais subjetivo, é o completo pânico heterossexual que vejo por trás dessas notícias. "Quer dizer que eu também posso virar *gay* assim, sem mais nem menos?" Tenho observado que, com a maior divulgação da causa *gay* e a maior visibilidade dos próprios homossexuais, o mundinho hetero entrou em polvorosa. Como se os machos tivessem se transformado em uma espécie em extinção. Como se a homossexualidade fosse contagiosa e os que se salvarem da "praga" não fossem resistir ao meteoro que irá se chocar contra a Terra em 2014, matando todos os heterossexuais, assim como aconteceu com os dinossauros: bum! Ah, vocês não estavam sabendo disso? Brincadeirinha...

(Um terceiro sintoma poderia ser o desejo oculto de alguns de que o tal raio da homossexualidade caísse de uma vez por todas em sua cabeça. "Que alívio!" Mas esse eu deixo para os psicanalistas.)

Honestamente, rapazes? Não entendo do que vocês têm tanto medo. Alguns dos homens mais bem resolvidos que eu conheci confessaram já ter sentido dúvidas em relação a sua sexualidade. Outros — menos numerosos, é verdade — até assumiram ter tido uma ou outra experienciazinha com o mesmo sexo, na infância e até depois dela. Relaxem, garotos. Tenho certeza que vai haver menos homofobia e mais tolerância no mundo no dia em que todo macho do planeta for capaz de admitir que pelo menos em algum momento da vida, por fugaz que fosse, passou pela sua cabeça que... Talvez... Quem sabe? E o que é que tem de mal nisso?

A suavidade esquecida dos pelos pubianos

"Mas ela é um livro místico e somente
a alguns (a que tal graça se consente)
é dado lê-la"
John Donne em tradução de *Augusto de Campos*

Fetiche masculino pela vagina sem pelos, sempre houve. Na carta de Pero Vaz de Caminha, em 1500, já apareciam os portugueses botando reparo nas xoxotas lisinhas das índias do Brasil, ao descoberto. "Suas vergonhas, tão altas e tão cerradinhas e tão limpas das cabeleiras que, de as nós muito bem olharmos, não se envergonhavam", escreve o gajo, embevecido. Caminha chega a apostar que, de tão "graciosa", a *vergonha* das índias causaria inveja às mulheres europeias, "por não terem as suas como ela"...

Na arte barroca e renascentista, porém, por pudicícia ou moralismo, as mulheres sempre apareceram glabras, inteiramente desprovidas de pentelhos, como se a ausência destes fosse sinônimo de ausência de malícia. O púbis pelado, qual o de uma criança, era quase a personificação da pureza em forma de boceta. Ao que tudo indica, a primeira vez que os pelos pubianos femininos aparecem na pintura ocidental é no óleo sobre tela *La maja desnuda* (1795-1800), de Goya, um dos quadros mais famosos da história. A penugem é discreta.

O tabu seria rompido de forma gloriosa e, digamos, Ohaniana, pelo francês Gustave Courbet (1819-1877) com sua *Origem do mundo*, de 1866. Já no século XX, o austríaco Egon Schiele (1890-1918) tampouco abriria mão de retratar suas musas *au naturel*, sem retoques. Assim como, anos mais tarde, o espanhol Pablo Picasso (1881-1973).

Sabe-se que o hábito de afeitar a xoxota não é recente, pelo contrário, existe desde tempos remotos. É ainda cultural: no islamismo, homens e mulheres são encorajados a depilar as partes íntimas. Mas quando foi que, entre nós, o monte de vênus peludo se tornou um pária, um proscrito? Culpa das brasileiras, que apresentaram ao mundo, no final da década de 1980, uma técnica de depilação que ficaria famosa justamente com o nome de *brazilian wax* — aqui, "cavadinha". Era a depilação ideal para usar biquínis cada vez menores e que, com o tempo, foi ficando mais cavada do que a própria tanga, até não restar quase nenhum pelo no púbis e até no ânus.

O que eu tenho contra a depilação? Nada. Faz quem quer. O que me incomoda é a obrigatoriedade que se estabeleceu em torno do assunto. Vejo homens por aí dizendo que "não aceitam" mulher que não se depila, quando eu acho que homem que gosta de mulher, gosta de qualquer jeito, com pelos ou sem (já falei uma vez e repito: quem gosta mesmo de manga não se importa com fiapo).

Para começo de conversa, não acho que a depilação de uma mulher ou a falta dela seja assunto para homens opinarem. E, ridiculamente, são eles que costumam ser convocados a falar sobre depilação, até mesmo nas revistas femininas. Ora, o corpo é da mulher e a última palavra sobre isso deve ser dela: se quer depilar a xoxota (inclusive para agradar ao parceiro), quem decide é a mulher. Ao homem, neste momento, cabe aceitar ou, no máximo, pedir para que a parceira ceda a seu capricho. Jamais querer impor sua opinião, até porque podemos passar a exigir que os homens também se depilem, que tal?

Outro aspecto é que os pelos estão ali para proteger a vagina. Espalhou-se a falsa ideia de que depilar é "mais higiênico", quando, ao contrário, a ausência da penugem deixa a vagina literalmente nua. Não é à toa que, desde que as mulheres passaram a arrancar tudo, aumentaram as ofertas de sabonetes e desodorantes íntimos: é para compensar a falta que os pelos fazem ali. Com uma vantagem extra: os pentelhos também funcionam como difusores dos feromônios, os hormônios sexuais. Há ginecologistas, aliás, que advertem que mascarar odores da xoxota com produtos específicos pode fazer mal à flora vaginal. Tanta higiene e assepsia, no final das contas, não combinam com sexo.

O mais importante: na ânsia pela "limpeza", esqueceu-se que os pelos pubianos podem ser suaves e macios ao tato, além de esteticamente bonitos, ao contrário de certas depilações por aí. Há um mistério gozoso na penugem encaracolada (castanha, negra, loira, ruiva) que envolve o sexo da mulher, e desbravadores dedicados destas matas encontrarão prazer em descobri-lo. Todas as xoxotas são lindas à sua maneira, depiladas ou não —, mas não é tão óbvia, me permitam, a beleza de uma xoxota coberta de pelos.

Por um masculinismo contra o machismo

Tenho dois filhos homens com uma diferença de dezessete anos entre eles. E sempre me esforcei por ser uma mãe que não reforça estereótipos sobre masculinidade nem reprime a sexualidade ou a personalidade de nenhum dos dois — pelo menos, claro, não de forma consciente. Um dia, quando o maior tinha uns oito anos de idade, resolvi lhe contar que quando eu era pequena os mais velhos viviam dizendo que homens não choram. Ele me olhou como se eu tivesse falado a coisa mais bizarra do mundo e disse:

— Sério? Nossa, que estranho.

Recentemente, resolvi repetir a "experiência" com o mais novo, de seis anos. "Você sabia que quando eu era pequena diziam que homens não choram?", perguntei. E ele respondeu:

— Mas eu não sou homem, sou uma criança!

Sim, houve um tempo em que homens adultos e mesmo as crianças do sexo masculino eram proibidos de chorar. Demonstrar dor ou tristeza através de lágrimas era considerado sinal de fraqueza, de "pouca macheza". Coisa de "mulherzinha". Na época do meu pai, também era malvisto que um homem manifestasse afeto fisicamente por outro, ainda que fosse seu filho. Pais não podiam abraçar e beijar os filhos homens (e, em alguns casos, nem as filhas mulheres). Que estranho, diriam meus guris hoje em dia.

Toda essa repressão foi a responsável por gerações inteiras de homens travados em termos afetivos, incapazes de fazer demonstrações de carinho públicas e privadas com seu amor (não excluo os *gays*) ou com seus filhos. Em efeito cascata, outros homens criados por esses homens também se tornariam assim, para sofrimento deles mesmos e de quem estava a seu redor. O fenômeno que vitimou esses homens, assim como vitima as mulheres, chama-se machismo.

Sempre me impressionou como os homens, ao contrário de nós, mulheres, nunca procuraram refletir sobre si próprios. Talvez porque passar a pensar sobre a natureza masculina fosse considerado (e ainda é) "frescura", coisa de homem "sensível", o tipo mais desprezado entre todos, até mesmo pelas mulheres. Homem "de verdade" não encana com essas coisas. Machismo.

Como é que o homem aceita bovinamente os estereótipos sobre o que é ser homem? Nós, mulheres, estamos cada vez mais nos libertando deles, e os homens, não. Sequer questionam que um homem para "ser homem" precise "parecer homem". Que não possa ter gestos ditos "femininos". Que não possa admitir nunca vulnerabilidades e fraquezas porque isso é "ser frouxo". Que tenha que se vestir de determinada maneira. Até as cores são um tabu para os homens: homem que é homem não usa cor-de-rosa. Que cor uma mulher não pode usar? Que roupa uma mulher não pode usar? Tem aspectos que somos mais livres do que eles... A diferença é que nós nos rebelamos. Eles não. Ainda não.

O mundo está mudando e vejo aparecer alguns homens se esforçando na tentativa de transformar seu destino. Li outro dia que os espanhóis começam a se juntar em grupos para discutir como podem ser melhores pais, dividindo tudo com as mães em relação aos cuidados dos filhos, inclusive as tarefas domésticas. Esses homens não são nossos inimigos. São nossos parceiros.

No Brasil, há cada vez mais pais jovens que não aceitam o papel que lhes cabia na educação dos filhos, de serem os disciplinadores, os mandachuvas, os responsáveis pela parte mais dura da criação. "Vou contar para o seu pai", diziam as mamães de minha infância. Tínhamos medo de nossos pais. A maioria dos homens que conheço não quer ser essa presença amedrontadora e distante na vida de seus filhos. Quer ser amado por eles. Me contaram do surgimento de cursos específicos para homens interessados em melhorar sua afetividade, para conviver melhor e de forma mais proveitosa com aqueles que amam. Que bom.

Tem outras questões que ficam rondando a minha cabeça. É verdade que as estruturas de poder da sociedade são feitas para beneficiar os homens. É possível que uma maioria deles ache isso ótimo e deseje de fato deter esse poder — assim como é possível que também a maioria das mulheres deseje poder, ou não? Mas e os homens que não desejam ter todo este poder? Que não se enquadram neste modelo que se espera que sigam apenas por serem homens? Acaso não são vitimados por estas estruturas tanto quanto as mulheres?

Revolta-me ver algumas feministas defenderem que "todo homem é um estuprador em potencial" porque a sociedade os fez assim — principalmente porque é mentira. Se fosse verdade, para começo de conversa, os *gays* teriam que entrar nessa conta. Ou não são homens? *Gays* são estupradores em potencial? Hum... Difícil. Não é à toa que tem feminista radical, por absurdo que pareça, cometendo transfobia. Se a sociedade machista fez com que muitos homens sejam estupradores em potencial? Claro, taí o deputado Bolsonaro que não me deixa mentir. Mas a sociedade machista também moldou mulheres canalhas. Taí a apresentadora Rachel Sheherazade que não me deixa mentir.

Acho uma injustiça ver os homens que tentam se juntar à luta feminista serem desprezados por algumas delas e chamados zombeteiramente de "feministos". Ou sendo reduzidos a "uzomi". Isso reforça a ideia de que feminismo é mulher contra homem, quando deveria ser mulher e homem contra o machismo. Não se pode "roubar o protagonismo" das mulheres nesta luta, dizem algumas feministas, como se o machismo só atingisse a nós e não a eles também. Como se fosse real este desejo por parte deles de "roubar o protagonismo" da mulher. E se eles estiverem querendo apenas ser solidários, caminhar ao lado ou — por que não? — se unir a uma luta que também consideram sua?

Rejeitados pelas feministas, os homens que se revoltam com o machismo deveriam criar um movimento próprio. Deveriam perder o medo de parecer "menos homens" e discutirem mais suas questões. Deveriam refletir se este modelo machista de sociedade também não os agride, não os oprime e não os prejudica como seres humanos, assim como acontece com as mulheres.

Infelizmente, por conta da omissão destes homens, todos os "ismos" relacionados ao masculino foram usurpados pelo machismo para serem utilizados contra o feminismo: hombrismo, masculinismo. A hipótese de um masculinismo, que pudesse significar uma luta análoga ao feminismo, virou uma revoltinha de machistas birrentos e com pouco tutano contra as conquistas femininas. Como se as mulheres estivessem querendo roubar o lugar dos homens e eles precisassem se proteger. Patético.

Resgatado, o masculinismo poderia se tornar um "feminismo do homem" contra o machismo. Acredito que todos nós, homens e mulheres que não nos beneficiamos do machismo da sociedade, somos vítimas dele. Todos, homens e mulheres que sofremos com o machismo, temos o direito de lutar contra ele. Homens: à luta, companheiros.

#ENTREVISTAS

Pierre Verger, o francês que virou babalaô

Em 1993, eu tinha vinte e seis anos e consegui, não recordo como, uma entrevista com o grande fotógrafo e etnólogo francês, radicado na Bahia, Pierre Verger (1902-1996). Já faz quase vinte anos, e o que ficou na minha memória foi que tive muita vergonha de estar diante daquele sábio e saber tão pouco... Senti que precisava ainda de muita leitura para poder entabular uma conversa com alguém tão acima de mim. Lembro ainda da simplicidade do quartinho de Verger, sua cama com um colchão fininho — um catre, para falar a verdade. Também lembro que usava pareô, modelo de saia originário do Taiti que se prende com um nó. Achei o máximo e de fato bem refrescante para um homem usar na tropical Salvador. Na entrevista, Verger fala da vida e de sua relação com o candomblé, com a África e com a Bahia.

* * *

Pierre Verger, uma lenda viva da fotografia, ninguém acredita, mora numa casa simples em um bairro de classe média baixa de Salvador, cidade que adotou há quarenta e sete anos. Mundialmente conhecido, aos noventa anos, também estudioso da África e doutor em Ciências Africanas pela

Universidade de Sorbonne embora tenha abandonado a escola aos dezessete anos, vive modestamente das bolsas que recebe para fazer suas pesquisas. "Ter dinheiro é uma desgraça", diz.

Nascido Pierre Edouard Leopold Verger no dia 4 de novembro de 1902, em Paris, o fotógrafo perdeu a família inteira quase ao mesmo tempo quando tinha trinta anos. Com uma mochila nas costas e uma câmera a tiracolo, partiu com destino às ilhas do Pacífico e de lá para os Estados Unidos, Japão, Filipinas, China, Sudão, Todo, Benim, Nigéria, parte do Saara, Antilhas, México, Guatemala, Equador, Peru, Bolívia, Argentina e Brasil. Retornando à França, trabalhou no laboratório do atual Musée de l'Homme e foi correspondente de guerra na China para a revista *Life*.

Na madrugada de 5 de agosto de 1946 desembarcou na Bahia de navio, para ficar alguns meses, atraído pela leitura de um livro de Jorge Amado. Contratado pela revista *O Cruzeiro*, fez várias reportagens no Nordeste, com textos de Odorico Tavares. O branco francês se encantou com as "coisas de negro": as festas populares, a música, as danças e o candomblé de onde vem o codinome Fatumbi — o renascido.

Resultado: só na casa vermelha — em homenagem a Xangô, seu orixá protetor —, numa transversal da ladeira da Vila América, está há mais de trinta anos. Rodeada de árvores, a casa tem dois andares. No térreo fica a biblioteca com dezenas de livros sobre a África, obras de Jorge Amado e um arquivo pessoal com 63 mil negativos. O quarto, no primeiro andar, ao lado do escritório onde trabalham os colaboradores, faz entender porque Pierre Fatumbi Verger ganhou tantas vezes o adjetivo asceta: detrás da escrivaninha atulhada de papéis fica a estante com seus livros (vinte e quatro ao todo) e ao lado a cama de solteiro onde dorme. Na parede, duas fotos, uma feita no Harlem, gueto negro novaiorquino, alguns berloques, e só.

Extremamente lúcido — sua memória se confunde apenas com fatos mais recentes —, Verger parou de fotografar há mais de quinze anos porque, segundo diz, foi obrigado a escrever. Continua viajando muito: esteve mais uma vez em Cotonou, capital do Benim, em fevereiro, e em Lausanne, na Suíça, no último dia 7, para inaugurar uma retrospectiva, a mesma que vai abrir em Paris no mês de dezembro. É claro que a esta altura da vida não tem toda paciência do mundo com jornalistas. Mas aí já era querer demais.

Por que o senhor veio para a Bahia?

Pierre Verger — Eu vinha ver amigos, tinha lido *Jubiabá*, traduzido, antes da guerra, e fiquei fascinado. Gostei da Bahia, também, não fiquei decepcionado.

Por quê?

Não tem porquê. É preciso aprender isso.

O senhor costuma ir à França?

Vou de vez em quando, mas gosto mais daqui, me acostumei.

Como aconteceu sua ligação com a África?

Eu fui até lá pela primeira vez em 1935, e comecei meus estudos em 1948. Passei pelo menos dezessete anos de minha vida na África, em períodos de um ano, seis meses. Me interessei sobretudo pelo antigo Daomé, atual Benim, de onde veio a maioria dos escravos que foram trazidos para a Bahia, e para onde voltaram muitos deles depois de libertados, levando muitos costumes daqui para lá. Escrevi um livro, *Fluxo e refluxo*, mostrando essa troca. Costumo dizer que aqui é uma pequena África, assim como lá é um pequeno Brasil.

Por que o senhor nunca se casou?

Não quis fazer desgraça numa mulher. Vivi de maneira vagabunda por muitos anos, e se me casasse teria que dar conforto, segurança. Além disso, sempre que eu gostava de uma pessoa ela não gostava de mim, ou o contrário.

O senhor ganhou muito dinheiro com a fotografia?

Não. Eu consigo viver, mas não ganhei muito dinheiro, e isso foi bom, porque ter dinheiro é uma desgraça. Nunca se sabe se os amigos são verdadeiros ou se esperam uma ajuda. Eu fui de uma família abastada e não era feliz. Meu pai era belga, tinha uma gráfica, e fui educado a respeitar as pessoas que tinham cartão de visita gravado, mas logo pude ver que as pessoas podiam ter cartão impresso e serem interessantes. É verdade que tive sorte de frequentar a gente rica, que é gente útil, mas sempre gostei mais de quem não tinha dinheiro. Eu recusei tudo isso em busca da minha verdadeira natureza. É por isso que tenho certa admiração pelas religiões africanas. São religiões que exaltam a personalidade da gente. Não que nos fazem nos sentir culpados de não sei o quê. Isso não existe nas religiões africanas.

Como o senhor se aproximou do candomblé?

Como qualquer pessoa. Eu já tinha feito uma cerimônia de iniciação na África, ganhei o colar de Xangô, e isso foi uma espécie de passaporte para mim. Me deixaram entrar nos templos, pediram que saudasse os orixás, eu disse as coisas certas, e fui adotado. Era um deles.

O senhor não teve dificuldade por ser branco e estrangeiro?

Não. O que me ajudou é que eu era um fotógrafo, não um antropólogo. O fotógrafo não pergunta qualquer coisa, está preocupado em observar, pensa no momento do clique. O antropólogo tem questões, muitas vezes estúpidas.

O senhor tem título de babalaô. O que significa isso?

O babalaô é o adivinho, mas não quis ser babalaô para prever o futuro, e sim pelo direito de saber das coisas do candomblé. A tradição dá o direito aos babalaôs de passarem os conhecimentos uns aos outros. Também tenho o título de oju-obá na casa de mãe Stella, aqui em Salvador *(o terreiro Ilê Axé Opô Afonjá, o mais antigo e conceituado da capital baiana)*. Oju-obá é o que é feito olho do rei.

Sua família era católica?

Meu pai era livre pensador, e não quis marcar os filhos, portanto não fui batizado e não estou renegando minha religião. Fui batizado no candomblé.

É a proteção de Xangô que o faz viver tanto?

Não sei. Quando eu tinha trinta anos tinha decidido não ser um velho, e que me mataria antes dos quarenta anos, mas não fiz isso.

Por quê?

Eu estava lendo *A importância de viver*, do chinês Lin Yu Tang, e segui vivendo.

O senhor pretende viver mais quantos anos?

Apesar de ser babalaô, eu não sei.

Por que parou de fotografar?

Fui obrigado a escrever. O Instituto Francês da África Negra, que me concede as bolsas de pesquisa, exige que eu escreva. Disseram: o senhor tem que escrever, senão não vai ter mais bolsas. Então eu parei de fotografar e me dediquei a escrever.

Quais foram seus últimos temas?

Já faz muito tempo, não me lembro mais (*foram as festas populares da Bahia, na década de 1970*).

Entrevista originalmente publicada no *Jornal de Brasília*, em 21/7/1993.

O mestre Florestan fala do aluno FHC

Em janeiro de 1995, quando FHC assumiu a presidência da República, sugeri à *Folha de S.Paulo* que entrevistássemos o deputado Florestan Fernandes (1920-1995), que tinha sido seu professor na USP. Procurei Florestan em seu gabinete em Brasília e acabei saindo de lá com quatro horas de entrevista. Ele me contou a trajetória dele inteirinha... Me deu uma aula de vida. Alguns meses depois, em agosto, quando ele morreu, pude homenagear Florestan com outra página na *Folha*, com ele contando seus anos de juventude.

Ao contrário do que eu esperava, Florestan Fernandes foi um cavalheiro ao falar do ex-pupilo, supercuidadoso com as palavras, embora deixasse clara sua preocupação com tantas alianças à direita. Fico pensando: o que diria Florestan se soubesse das alianças do seu PT, que não pôde ver chegar ao poder?

* * *

O mestre elogia e adverte o presidente

Viver sob a presidência de um social-democrata não deixa o deputado Florestan Fernandes (PT-SP) encabulado em dizer: "Sou comunista". Nem poderia. É o presidente-sociólogo Fernando Henrique Cardoso quem admira antes o deputado, seu professor na Faculdade de Filosofia da USP e quem o considera seu mentor intelectual.

Depois de dois mandatos, Florestan deixa a Câmara dos Deputados esta semana, aos setenta e quatro anos, feliz com o reconhecimento de sua experiência na política. Com uma cirrose contraída após uma hepatite, ele preferiu não concorrer à reeleição. É o desfecho da experiência política do sociólogo marxista com história de vida incomum.

Filho de uma doméstica que mal completou o primário, sentiu na pele os problemas da classe que escolheu defender, até se tornar um dos maiores intelectuais do país e mestre daquele que viria a ser presidente. Em entrevista à *Folha*, Florestan fala sobre sua vida e faz uma análise imparcial do governo. Apesar de apostar no "potencial" de FHC para fazer um bom governo, incomoda-se com a "oligarquia que nunca largou o poder", que ladeia o presidente.

Qual o lado bom de se chegar aos setenta e quatro anos?

Florestan Fernandes — Eu tenho uma vida vivida. Isso é muito importante. Agora, é preciso ver qual o horizonte intelectual da pessoa, porque a idade não é um valor. A pessoa pode viver vegetativamente ou de uma forma criadora, não importam as suas origens. Minha raiz está no lumpemproletariado. Sou da primeira geração de portugueses nascida no Brasil. A gente veio para trabalhar no campo. Minha mãe foi para a cidade, e a única coisa que ela estava habilitada a fazer era trabalhar como doméstica. Nós levamos uma vida penosa, ficou muito difícil para eu ir além. Nem sequer consegui completar o curso primário. Eu e minha mãe estávamos soltos no vendaval.

E o pai do senhor?

Meu pai morreu de febre amarela. E, infelizmente, os homens que se casam com uma mulher que tem uma renda própria, quase sempre o intuito é explorar a mulher. Foi assim com meu padrasto. Então, minha mãe expulsou ele de casa, e eu, com seis anos, comecei a trabalhar. Não é nenhuma tragédia grega, mas foi um drama para mim.

Como o senhor chegou a se formar em sociologia?

Eu tinha um impulso em aproveitar as oportunidades. Trabalhei em salão de barbeiro, de engraxate, como auxiliar de marceneiro, alfaiate, cozinheiro. E lia muito. Tinha a capacidade de ler e aprender assuntos que se espalhavam de história até ciências exatas. Era o autodidata típico. Em cima do bar em que eu trabalhava se instalou o curso Riachuelo, um curso de madureza, e pude fazer cinco anos em três. Quando terminei a madureza, fiz o teste para a universidade e passei. Foram trinta e nove candidatos e seis aprovados. Eu fui o quinto. Comecei a estudar e, ao mesmo tempo, trabalhava como representante de artigos dentários. Só quando passei a ensinar em tempo integral na universidade deixei de ser propagandista de remédios.

O senhor fez a opção pela esquerda por causa de sua origem pobre?

Há duas polaridades. Uma delas é da experiência humana concreta. Eu, felizmente, não cumpri o caminho comum entre imigrantes de aspirar à ascensão social e adotar as técnicas das classes dominantes. Fiquei fiel a minha origem social.

O senhor foi muito influenciado pelos conceitos de Karl Marx e Max Weber?

Fui mais influenciado por Marx, mas tive que estudar Weber. Também fui muito influenciado por Durkheim. Nunca li tudo que devia ler deles, isso exigiria três vidas. Mas aprendi alguma coisa e me foi útil. Li outros autores, como Freyer, que tenta cruzar Marx com Weber.

O senhor acha possível?

Sim, o próprio Lenin citava Weber, não muito, mas Gramsci, que era socialista, citava muito Weber.

Hoje, com um presidente weberiano, o senhor considera que Marx está ultrapassado?

De jeito nenhum. Weber acabou sendo deformado na universidade, especialmente nos EUA. Foi norte-americanizado. Há toda uma parte teórica que não se prejudica com isso, mas se ignora que ele foi protestante, com posições social-reformistas. Toda a obra dele está vinculada às lutas que se dão na Alemanha pela transformação da sociedade, do Estado, e nada disso aparece na tradição acadêmica oficial dos EUA. Só aparece o Weber domesticado pelos cientistas políticos.

O senhor acha que Fernando Henrique foi seu aluno mais brilhante?

É difícil dizer, porque tive alunos brilhantes que aproveitaram o talento e fizeram carreiras universitárias brilhantes. Mas, dos alunos brilhantes, ele foi quem teve maior êxito. No plano internacional, ele e Octavio Ianni foram os que mais saíram.

Como era o aluno FHC?

Ele me atraiu por ser uma pessoa de talento, com espírito crítico, sempre alegre, disposto a conversar. Mantendo uma tradição dos professores franceses, eu procurava aproveitar o que havia de melhor entre os estudantes para a carreira universitária. Era minha função. Tanto que, quando alguém vinha dizer que ia fazer doutorado comigo, eu dizia: "Perdão, mas os meus candidatos a doutorado não me escolhem, sou eu que escolho". Parece uma afirmação autoritária, mas não era. Era objetiva, para que não se implantasse uma valorização superficial das pessoas. Apesar de falarem que eu só escolhia alunos de esquerda, não é verdade. Fernando Henrique teve um êxito muito grande como estudante para chamar minha atenção, para que eu fosse procurá-lo, convencê-lo a se interessar por essas coisas. Era como eu, uma pessoa que pulava para fora dos muros da universidade.

Quando se deu o distanciamento ideológico entre o senhor e Fernando Henrique?

Enquanto nós estivemos dentro da universidade, estávamos presos por aquela solidariedade que nos punha em defesa contra a tendência do meio ambiente de absorver a Faculdade de Filosofia na mediocridade que existia nas antigas escolas superiores. Neste ponto, não havia diferenças de pensamento e de ação.

Foi quando o senhor se decidiu a entrar no PT que ocorreu este distanciamento?

O Fernando Henrique esteve mais próximo de entrar no PT do que eu. Quando fui convidado pelo Lula, impus algumas condições que ele não aceitou, e só entrei no PT mais tarde. Já Fernando Henrique participou de atividades no ABC junto com Lula, em defesa do movimento operário. Mas, ao mesmo tempo em que podia ser seduzido pelo PT, ele estava preso ao PMDB. Tinha ligações com Ulysses Guimarães que davam a ele certeza de que poderia realizar uma carreira política no que se define como tancredismo. Quando o tancredismo ou mudancismo surge como uma resposta à eleição indireta, Fernando Henrique era a cabeça que estava por trás.

Aí ele deixou de ser uma pessoa de esquerda para ser de centro-esquerda?

Não posso dizer isso. Eu não sei se ele teve ou não alguma cisão. Quando Fernando estava no PMDB, a esquerda do partido era relativamente grande. Havia um centro e uma direita. E, naturalmente, as perspectivas que ele tinha eram muito mais amplas.

Hoje não?

Hoje é preciso experimentar. Eu aprendi desde criança que o valor do bolo você comprova comendo. O que ele vai realizar no governo é que vai dizer até que ponto ele fala em questões sociais com a mesma perspectiva que falava quando atuamos juntos.

O senhor acha que ele pode fazer um bom governo?

Bem, eu acredito que ele tem potencial para isso. Agora, um bom governo não depende só do presidente. É um erro muito comum no Brasil confundir o governo com o poder criativo. Como se fosse o Deus 'ex-machina'. Ele está lá em cima, é o Espírito Santo que cria e transforma. O que importa mais é a sociedade civil, a maneira como se coloca diante do poder.

O senhor concorda com o senador Darcy Ribeiro (PDT-RJ) quando ele diz que este governo será de Marco Maciel e só o próximo de FHC?

Não, o próprio Marco Maciel é uma peça deste jogo de xadrez. É determinante, não determinado. Estamos diante de uma oligarquia que nunca largou o poder, que sempre exerceu o poder em nome da democracia, mas de forma autocrática ou ditatorial.

Esta oligarquia vai atrapalhar o governo?

A expectativa é essa. Torna-se difícil pensar que, com aliados deste tipo, é possível transformar o Brasil.

Entrevista publicada originalmente na *Folha de S.Paulo, em 22/01/1995.*

#

Leonardo Padura: "Trótski era um político, Stalin era um psicopata"

Da última vez que eu havia falado com o escritor Leonardo Padura ele ainda se chamava Leonardo Padura Fuentes e tinha acabado de ficcionalizar a passagem de Ernest Hemingway por sua terra, Cuba. Isso foi em 2001, quando lançou no Brasil o livro *Adeus, Hemingway*, em que coloca o autor norte-americano como suspeito de assassinato. Padura deixou de usar o Fuentes por causa das confusões com o seu sobrenome em países de língua inglesa — ora o chamavam de Padura, ora de Fuentes... Preferiu padronizar usando um só, o do pai, que nos países hispânicos é o do meio.

Daquela entrevista para esta, que fiz novamente pelo telefone, a diferença é que, agora, Padura parece um pouco mais à vontade para falar de política interna cubana. Na primeira, só falamos do livro. Agora, o escritor de cinquenta e oito anos, que vive em Havana, posicionou-se abertamente sobre a necessidade de mais abertura ao diálogo com divergentes na ilha governada pelos Castro. E falou também de Leon Trótski, protagonista de seu livro de 2009 *O homem que amava os cachorros* (Boitempo).

O mais impressionante para mim ao conversar com o escritor foi descobrir que era proibido falar de Trótski em Cuba e que se sabia pouquíssimo sobre ele, na verdade, até a publicação do livro. Segredo igual rondava Ramón Mercader, o assassino do líder soviético, que chegou a ser acolhido lá por Fidel Castro em 1960, após cumprir vinte anos de pena no México. No livro de Padura, Mercader é o algoz, mas também a vítima de um período duro da história e da esquerda. O livro não foi proibido em Cuba, ao contrário: foi reconhecido pelos leitores da ilha e recebeu o Prêmio Nacional de Literatura no ano passado.

Socialista Morena — Como foi possível que os cubanos não soubessem nada de Trótski até recentemente?

Leonardo Padura — Não se sabia praticamente nada porque se aplicou aqui a mesma política da União Soviética. Havia uma aliança tão estreita que não podia ser diferente. Trótski era o inimigo inominável. Não se publicavam obras dele nem sobre ele, ninguém sabia quem era realmente. Só há poucos anos, quando, em algumas feiras literárias a editora norte-americana Pathfinder, que é Trótskista, trouxe alguns livros dele, e uma editora argentina trouxe sua biografia, é que a informação passou a circular mais. Mas foi com o meu romance que os cubanos o conheceram.

Seu próprio interesse por Trótski começou como?

Na época da universidade ouvi falar algo, mas não se mencionava ele nas aulas. Esse fato aumentou ainda mais minha curiosidade a respeito de Trótski, e, em 1989, na primeira vez que fui ao México, conheci a casa dele em Coyoacán. Fiquei muito emocionado. Era um lugar escuro, sombrio... Claro que nem imaginava que um dia iria escrever um livro a seu respeito. Uns anos depois dessa visita, soube que Mercader viveu em Cuba, mas ninguém tampouco falava disso. Em 2005, 2006, quando decidi escrever o romance, procurei alguém que sabia que o conhecera pessoalmente e a resposta que recebi foi um rotundo "não".

O que há de ficção e realidade na trama?

Há muito dos dois. A vida de Trótski está toda biografada, cada minuto de sua vida, então tem muito de investigação histórica nas cenas narradas. Com Mercader é diferente porque se conhece muito pouco da vida dele. Sua vida é uma mentira, uma criação dos órgãos de inteligência soviéticos. O terceiro protagonista, o cubano que conduz a narrativa, também está documentado. Tudo que acontece com ele aconteceu com pessoas da minha geração.

Nota-se, no livro, que você sente simpatia por Trótski...

Creio que existe uma simpatia natural pelos derrotados, pelos que perderam. Além disso, como Trótski tem a figura de Stalin como antagonista, ele se torna um dos personagens mais simpáticos do mundo... Stalin é monstruoso. Trótski manteve sempre esse pensamento utópico de que a revolução era possível.

Parece-me uma pena que os cubanos não tenham conhecido o outro lado dessa história.

Sim, é um personagem que talvez pudesse dar aos cubanos uma alternativa de pensamento socialista.

Há quem ache que não faria diferença se fosse Trótski o vencedor diante de Stalin. Você concorda?

Essa seria uma especulação histórica, e a história se analisa com o que ocorreu, não com o que poderia ter ocorrido. Trótski talvez pudesse fazer a mesma política, mas talvez não achasse necessário matar 20 milhões de pessoas para isso. Trótski era um político, Stalin era um psicopata. Trótski poderia ser duro, reprimir, mas não de uma maneira doentia.

Você se incomoda de falar sobre a política em seu país?

Eu sempre prefiro falar de literatura, mas no caso de Cuba é inevitável. É um país onde existe um governo e um partido que são a mesma coisa e onde todas as decisões são políticas, então é impossível não falar.

Há mais liberdade hoje em Cuba?

Há mais do que há alguns anos. Há alguns anos eu não poderia ter publicado este livro, por exemplo. O que não quer dizer que haja absoluta liberdade de expressão, continua existindo censura. Em nível econômico houve muitas mudanças importantes, imprescindíveis. Chegamos a um ponto de imobilismo e crise insustentáveis. Se está movimentando economicamente o país. Mas as mudanças têm que ser mais profundas. Tem de haver mais abertura comercial, mais convênios com investidores estrangeiros, porque o país não tem capital para se modernizar. Tem que ter também mais espaço para a crítica, um diálogo crítico mais aberto para que se possa encontrar soluções, chegar ao consenso.

O caminho está aberto?

Está demarcado, mas a entrada é muito estreita... O modelo está mudando, mas precisa mudar muito mais para que as pessoas que pensam diferente também tenham direito à opinião.

#

Biógrafo de Che: "Que herói a direita tem para colocar em camisetas? Pinochet?"

Em 2007, quando o assassinato de Che Guevara completou quarenta anos, a revista *Veja*, cujo modelo de jornalismo já conhecemos, publicou uma reportagem de capa, ao estilo "guia politicamente incorreto" de seus foquinhas amestrados, para tentar demolir o mito. Dias depois, uma carta pública do biógrafo de Che, o premiado jornalista norte-americano Jon Lee Anderson, desmentia o teor da reportagem praticamente por completo, acusando seu autor de ter sido parcial e desonesto.

"O que você fez com Che é o equivalente a escrever sobre George W. Bush utilizando apenas o que lhe disseram Hugo Chávez e Mahmoud Ahmadinejad para sustentar seu ponto de vista", escreveu Anderson, cujo livro é apontado pela própria *Veja* como "a mais completa biografia de Che". Espantosamente, este libelo de mau jornalismo vem sendo utilizado nos últimos anos pela direita indigente intelectual brasileira para tentar reduzir Che a um "assassino", como se o contexto, uma revolução, não justificasse mortes. Tem colunista de jornal aí que só se refere a ele como "porco fedorento". Este é o nível deles.

Mas qual o interesse dos cérebros reaças de enlamear Che Guevara? Será que é porque não tem nenhum ídolo do lado de lá para servir de modelo aos jovens a não ser torturadores, generais ditadores e exploradores da miséria do mundo? Leiam abaixo a entrevista que fiz com Jon Lee Anderson para CartaCapital na época e vejam o que ele responde.

* * *

Guerra é guerra

O jornalista norte-americano Jon Lee Anderson, autor de *Che Guevara — Uma biografia* (Editora Objetiva), considerado o mais completo relato sobre a vida do guerrilheiro executado em 1967, rebate incisivamente as acusações de que Che fosse não um herói, mas um assassino frio que se regozijava de matar seus inimigos. Lee Anderson é colaborador da revista *The New Yorker* desde 1998. Respeitado correspondente internacional, escreveu, além do livro sobre Che, *A queda de Bagdá* (Editora Objetiva) e *Guerrillas* (inédito no Brasil), em que analisa os mujaheddin do Afeganistão, a FMLN (Frente Farabundo Martí de Liberación Nacional), de El Salvador, a Unidade Nacional Karen (KNU) birmanesa, a Frente Polisário do Saara Ocidental e um grupo de jovens palestinos que luta contra Israel na Faixa de Gaza.

O jornalista criticou a reportagem de capa da revista *Veja* em que o revolucionário argentino é acusado de ser uma farsa e até de não gostar de tomar banho. "O artigo de *Veja* é ridículo! Baseado em fontes parciais e comprometidas, sem nenhuma novidade, é um exemplo singular de jornalismo barato, ou seja, algo construído a partir do nada, mas com o objetivo de fazer sensacionalismo. Embora aparente ser jornalismo investigativo, na realidade é puramente tabloide."

Leia a seguir a íntegra da entrevista de Jon Lee Anderson, que se encontra atualmente viajando por vários países dando palestras sobre Che Guevara. Ele falou à *CartaCapital* via *e-mail enquanto esperava, no aeroporto de Miami, um voo para Caracas.*

É verdade que Che Guevara se acovardou em seus últimos momentos, dizendo: "Não disparem. Valho mais vivo do que morto"?

Jon Lee Anderson — Não me consta e francamente duvido que tenha dito isso. Tudo parece crer que, ao contrário, demonstrou muita coragem em seus últimos momentos, como havia demonstrado antes. Não se acovardou. Isso é uma invenção para desacreditá-lo.

Che foi um assassino frio e cruel? Tinha prazer em matar?

Che queria mudar o mundo. Não foi cruel. Foi, isto sim, uma pessoa muito rigorosa e teve um período severo (mas totalmente justificado pelas normas da guerra) na guerrilha cubana com traidores, desertores e demais. Executou algumas pessoas e ordenou a execução de outras. Depois do triunfo, presidiu os tribunais para criminosos acusados de delitos pelo antigo regime, tais como tortura, violação e assassinato. Centenas deles foram julgados e justiçados. Posteriormente, houve uma tentativa de um grupo de críticos da revolução cubana de reviver essa época para apresentar o Che como uma espécie de assassino em série, como fez a *Veja*. A verdade é que Che se portou como um soldado encarregado de uma tropa em precárias condições e com a responsabilidade de um oficial. Não fez nem menos nem mais do que qualquer outro militar confrontado com situações de vida ou morte. Não se regozijou de matar, assumiu-o como um mal necessário da guerra, por sua vez necessária para mudar o regime cubano de Fulgencio Batista. Ninguém nunca acusou Che e seus combatentes de haver matado soldados inimigos capturados, nem os feridos que encontraram. Ao contrário: Che os socorreu pessoalmente ou providenciou para que fossem socorridos. Em alguns casos liberou soldados presos, à diferença da tropa de Batista, que assassinou rebeldes capturados e civis simpatizantes também. Descontextualizar as ações de Che na guerra, além de tendencioso, é totalmente absurdo do ponto de vista histórico.

Alguns soldados criticam a atuação de Che como líder, dizendo que foi fraca, desastrosa. Ele não sabia liderar?

Os líderes nem sempre são populares com todos os seus subordinados. Alguns podem ter se ressentido com Che por sua língua afiada e tendência a não perdoar os idiotas nem os frouxos — podia ser muito ácido. Mas outros respeitaram este mesmo rasgo da personalidade do Che e o definiram como um fator de seu crescimento pessoal. Aceitaram a crítica e trataram de melhorar para também receber o beneplácito de Che, a quem respeitaram muito por sua coragem, honestidade e incorruptibilidade. Em resumo, sim, sabia liderar, mas era muito exigente.

Che matou gente com suas próprias mãos?

Que soldado não mata? A guerra é um teatro bélico no qual os homens enfrentam sua própria morte e tentam matar os inimigos para que não os matem.

A biografia do Che é a história de um fracassado, como defendem alguns?

Isso depende da ótica política de cada um, obviamente. Eu acho que o legado do Che é mais inspirador que derrotista. Quer dizer, é certo que ele não triunfou em seus esforços para fomentar a revolução em países como o Congo e a Bolívia. Mas o legado que deixou, de que um homem pode tentar mudar o mundo e que pode deixar um exemplo que estimule outros a segui-lo — inclusive depois de morto —, é mais duradouro. Universalmente Che é, fracassado em vida ou não, visto como um herói, um símbolo de rebeldia e princípios diante de um *status quo* injusto. Isso é o que enlouquece os de direita, o que os incomoda: que o Che siga potente como um símbolo, um mártir, um herói. Que herói eles têm para ostentar a raiz da Guerra Fria, alguém que a garotada queira pôr em camisetas? Pinochet?

Em sua opinião, quem matou Che: a CIA ou o Exército boliviano?

Está comprovado que foram os dois. A CIA esteve presente. O agente Félix Rodríguez admite ter recebido a ordem de executar Che do Alto Comando militar boliviano e de haver pedido a um voluntário para cumprir a ordem. O sargento boliviano Mario Terán levantou a mão e o fez. A responsabilidade é conjunta, compartilhada.

O senhor é um fã de Che? Acredita que ele seja um herói?

Sou seu biógrafo, não um fã. Os fãs são totalmente acríticos, são *groupies* para quem seus heróis podem fazer qualquer coisa e o aceitam. Eu não sou fã de ninguém porque ninguém é infalível. O Che tem meu respeito, isso é verdade. Havia aspectos nele dos quais eu não gostava, e outros que sim. Se no meu julgamento tinha aptidões de herói? Sim. Viveu de uma forma muito heroica, sobretudo ao final. E morreu com valentia. Isso, como sempre foi para a humanidade através da história, o faz um herói. Assassinar um homem ferido e depois esconder seu cadáver, isso é covardia. Qualifica- se como um crime de guerra.

Reportagem originalmente publicada em *Carta Capital*, em 11/10/2007.

Fala, Yoani, fala

Quando Darcy Ribeiro imaginou o socialismo moreno, um socialismo à brasileira, adaptado à nossa realidade e ao nosso jeito de ser, sem seguir modelos, tenho certeza que uma das condições que tinha em mente era a liberdade de divergir. Portanto, para ser coerente com a proposta deste *blog* de homenagear Darcy, aqui Yoani Sánchez tem vez e tem voz. Como cidadã cubana e habitante da ilha, considero legítima sua opinião, concordemos ou discordemos dela. Mas para discordar ou concordar é preciso OUVI-LA.

Reproduzo, a seguir, a íntegra da entrevista que fiz com Yoani em fevereiro de 2013, em Feira de Santana, na Bahia.

* * *

"Não creio que em Cuba haja socialismo", diz Yoani Sánchez

Você é de esquerda ou de direita?

Me considero uma pessoa pós-moderna, ou seja, considero que os limites e as fronteiras entre os fenômenos que vivemos não estejam tão claros. Quando alguém me pergunta se sou jornalista, digo que estou no meio do caminho entre o jornalismo, a literatura, o ativismo cívico, talvez algo de informática. Isso faz com que o produto final do meu trabalho seja híbrido. O mesmo ocorre a respeito de temas que definem as posições ideológicas. Por exemplo: sou uma defensora da liberdade de expressão, sobretudo da liberdade de imprensa. Para muitas pessoas isso me colocaria ao lado dos liberais, do liberalismo. No entanto, também sou uma grande defensora desse setor que há em toda sociedade, mais desfavorecido. Nasci num solar de Havana, uma casa coletiva. Um solar é uma casa que foi linda, mas que com os anos foi dividida e vivem muitas famílias, com banheiros coletivos e cozinha coletiva.

Aqui dizemos cortiço.

Ainda hoje digo a meu marido: 'Posso ir ao banheiro?' E ele responde: 'Mas é claro, vai. Precisa pedir?'. Porque quando eu era pequena tinha que perguntar se podia ir e sempre estava ocupado... Minha família é de ferroviários, por isso me preocupo muito com as pessoas pobres. Me preocupa a situação que vivem agora os mais desfavorecidos do meu país com todas estas reformas de corte neoliberal que Raúl Castro está fazendo. Por um lado estão abrindo espaços, estão criando oportunidades para o setor privado –em Cuba se diz 'setor por conta própria', mas é o setor privado. Por outro, estão criando grandes diferenças sociais, muita gente está ficando desprotegida materialmente, gente que está perdendo seus trabalhos, que não tem acesso à moeda conversível. Vou contar uma pequena história: em Cuba, temos muitos problemas com o tema da qualidade da educação, porque os salários dos professores são muito baixos e pouca gente quer ser professor. Então está acontecendo um fenômeno, as famílias estão pagando 'repassadores', professores extras nas horas que os estudantes não estão na escola. E já começa a se notar, do ponto de vista acadêmico, a diferença entre os estudantes cuja família tem dinheiro para pagar um professor adicional e a família que não tem. A compra e venda de casas, uma medida largamente desejada, no entanto está provocando a redistribuição classista dos bairros. Gente que tem mais dinheiro vai para os melhores bairros e os que têm menos, para a periferia, aos piores edifícios. Isso está se fazendo sem levar em conta uma política de transparência e sem uma política de proteção a essas pessoas. Se continuar assim, teremos uma Cuba tão neoliberal quanto qualquer outro país, com as grandes diferenças e os grandes abismos.

Neste ponto, eu poderia ser tachada de esquerda. Creio que o estado tem a obrigação de proteger as pessoas mais desfavorecidas materialmente, para que não entrem na competição da vida com desvantagens. O estado tem a obrigação de garantir um ensino público de qualidade pelo menos até determinado nível escolar. Tem também o dever de garantir uma ajuda aos familiares. Agora, não creio que em Cuba haja um socialismo. Quando era pequena, tive que estudar muito as teorias marxistas, leninistas, a economia socialista, manuais que eram muito abundantes até alguns anos — agora diminuiu. E recordo que praticamente a primeira página desses manuais dizia que uma sociedade socialista ou comunista era onde os meios de produção estavam nas mãos do proletariado. Era como uma fórmula. O que acontece em Cuba? Temos um só patrão que se chama estado, governo, Partido Comunista ou como você quiser chamá-lo. Esse patrão tem os meios de produção em suas mãos, contrata os operários e lhes toma uma enorme mais-valia: entre o valor da produção e o salário que recebe o operário há um abismo. Imagine que em Cuba existem pessoas que trabalham confeccionando charutos e cada charuto pode custar depois, no mercado, um mínimo de 30 pesos conversíveis, mas essa pessoa recebe por mês um salário abaixo disso. Ou seja, a mais-valia é total, com o agravante de que você não pode protestar. Nós temos um patrão capitalista, a diferença é que nosso patrão é uma família, um grupo de militares que tem um discurso aparentemente de esquerda. Mas quando você observa bem, há muito de capitalismo selvagem e inclusive de feudalismo medieval.

Você preferia que a revolução cubana não tivesse acontecido?

Não, não. Penso que a revolução foi um bom detonante para a energia. O problema foi quando a revolução se devorou a si mesma e deixou de ser uma revolução.

Quando isso ocorreu?

Essa é uma grande discussão. Por exemplo: meu marido, que é jornalista e é mais velho do que eu, diz que a revolução terminou em

1968, porque neste ano Fidel Castro aplaudiu a entrada dos tanques soviéticos em Praga. E isso foi determinante: como uma revolução rebelde permite que um império — ainda que seja comunista é um império — termine com um processo nacional de rebeldia, de transformação? Outras pessoas dizem que a data foi 1980, com o êxodo de Mariel, quando mais de 120 mil cubanos disseram ao regime: 'Não gostamos deste sistema'. Essa foi uma maneira de votar. Minha mãe diz que para ela a revolução terminou em 1989, o ano em que fuzilaram o general Arnaldo Ochoa, que estava vinculado ao narcotráfico, mas também foi um julgamento político. Um julgamento a um setor que poderia, dentro dos próprios militares, provocar uma mudança. Ou seja, as datas são muitas. Eu não conheci a revolução. Nasci em 1975, sob muito estatismo, sovietização, rigidez. Aqueles rebeldes descidos da Serra Maestra, que pareciam tão jovens, com seus escapulários, tão reformistas, tão sonhadores, no momento em que nasci já eram uns burocratas de abdômen avantajado e muito cuidadosos cada vez que davam um passo para que nada lhe fugisse do controle. A revolução, sim, a revolução foi uma necessidade de muitas pessoas. E muita gente acreditou na revolução e muita gente se sentiu traída com a derrota final da revolução.

Mas e se não tivesse ocorrido o embargo norte-americano? Poderia ser diferente, não?

O embargo, sem dúvida, fez com que a revolução se radicalizasse e deu ao governo um argumento para explicar tudo. Mas eu não creio que realmente o tema das liberdades fosse diferente sem o embargo. Simplesmente vivemos sob um sistema pensado para que o indivíduo não possa ser livre, porque, se é livre, começa a perguntar, a questionar, a se associar, a buscar informação e o sistema não funciona, porque é um sistema que está baseado em que o mundo é um inferno e Cuba é um paraíso. 'Você tem que se conformar com o zoológico porque lá fora é a selva': essa é a dicotomia que explora o governo cubano. Quando a pessoa abre os olhos, lê outra literatura, contacta com outras pessoas, essa dicotomia começa a ruir, já não funciona.

Para nós, o que parece injusto é que um país gigante tente esmagar durante anos uma ilha pequena só porque decidiu fazer diferente e ser comunista.

Esse é o símbolo de Davi contra Golias. Mas o Davi que eu conheço se chama povo cubano. E o Golias que faz a minha vida difícil é o governo de Cuba.

Você não teme que acabe o regime dos Castro e Cuba caia em mãos dos cubanos de Miami, que são políticos da pior direita inclusive para os Estados Unidos? Ou seja, pular da frigideira direto para o fogo?

A Cuba do futuro tem muitos riscos, mas não é por isso que vamos nos conformar com o presente. Não é uma atitude de esquerda se paralisar por temor ao futuro. A atitude de esquerda é: vamos à mudança! E depois encontraremos soluções para os problemas que irão surgindo. Não tenho esse temor, mesmo porque o exílio de Miami também é um estereótipo. Agora mesmo é um exílio muito plural. Passaram-se cinquenta e quatro anos desde que começou o exílio, os que se foram em 1959 ou nos anos 1960 já são octogenários. Ao exílio ou à emigração, como chamam agora, chegou uma nova geração com outra mentalidade. Inclusive, nas últimas votações para presidente, um amplo setor da Flórida votou em Barack Obama. No último ano, 400 mil cubanos viajaram à ilha, vindos principalmente dos EUA. É um sinal que lhes importa mais agora os vínculos familiares do que o tema político ou econômico. Não tenho esse temor realmente de que ocorra a miamização de Cuba, primeiro porque não creio que o dilema nacional seja os Castro hoje ou Miami amanhã. Em meu país há gente talentosa, com muito critério e muito patriotismo. O patriotismo não tem nada a ver com o governo atual ou o sistema comunista. Amar Cuba é outra coisa, não é amar uma ideologia, é amar os coqueiros, José Martí, a música, viver ali. É preciso diferenciar isso. E penso que o desafio do futuro será aproveitar esse conhecimento, esse capital que tem os mais de 2 milhões de emigrados cubanos que hoje não tem nem mesmo o direito ao voto em seu país natal, conseguir que esse exílio se integre à vida nacional, mas sem que esmaguem a nós, os cidadãos que vivemos ali. Um dos grandes temas da justiça do futuro será o tema das devoluções de propriedades. Outro será como estruturar o tema empresarial para que os emigrados não tenham vantagens sobre os nacionais que não temos capitais. Mas de verdade não temo isso. Tem muita gente que diz: 'Você não teme que chegue o McDonald's em Cuba?' Não, não temo, chegará. O que me preocupa muito agora é que o operário cubano, para comer um hambúrguer, precise trabalhar dois dias completos. Não me importa que se chame McDonald's ou McCastro, mas que as pessoas tenham a oportunidade de ter um salário digno que lhes permita escolher entre comer vegetais ou um hambúrguer.

Você fala muito de direitos humanos. O que acha dos presos norte-americanos em Guantánamo?

É um horror dos EUA, uma ilegalidade. Infelizmente não posso fazer nada quanto a isso.

O que é o melhor que pode acontecer em Cuba? Haver eleições?

Acho que sim. Mas é importante que a pressão venha da cidadania, que as próprias estruturas que estão nascendo, os grupos — todos pacíficos — da oposição, da sociedade civil, o jornalismo independente, consigam pressionar o governo. Isso seria o ideal. Pressionar para que comecem logo uma série de reformas não só no plano econômico como político. Creio que o principal é despenalizar a divergência. Me dizem: 'Bom, isso não é uma lei'. Mas é importante. Em Cuba tem muita gente talentosa que tem iniciativas e programas de mudança pensados na nação, mas que agora tem medo de divulgá-los. Conheço economistas que tem projetos para sanear a economia, para eliminar a dualidade monetária, mas dizem: 'eu não posso mostrar isso porque vão me acusar de ser da CIA, do império'. Muita gente tem medo de dizer suas propostas. Quando o governo cubano, Raúl Castro, tome o microfone e diga 'neste país nunca mais ninguém vai ser nem encarcerado, nem golpeado, nem estigmatizado por pensar diferente do governo, por ter outra tendência política ou outra opinião sobre a economia ou as finanças', nesse dia tudo começa a mudar porque as pessoas vão começar a se atrever a dizer o que pensam.

Se Cuba vai tão mal, por que as pessoas não se revoltam?

As pessoas em Cuba se rebelam emigrando. A revolta cubana não está na praça Tahrir, está do lado de fora dos consulados. É muito diferente. No Egito e na América do Norte se acumulou uma massa de jovens inconformados com o sistema, com essas ditaduras de muitos anos. Em Cuba temos um grande déficit de jovens, de natalidade. Cuba tem a natalidade de um país de primeiro mundo e a emigração de um país de terceiro. Ou seja, a população está entre duas tendências. Uma, parece, muito positiva, e outra, muito negativa. Não há essa população jovem tão grande. Por outro lado, a tecnologia está num estado muito rudimentar. Para a primavera árabe, foram determinantes as redes sociais, os telefones celulares, *blackberries*.

Isso, sim, tem a ver com o embargo... A tecnologia não chega a Cuba.

Mais ou menos. Por um lado, sim, pela possibilidade de comprar tecnologia. Mas a tecnologia é vendida na China, no Japão, no Panamá. Há um monte de telefones chineses. O problema tem a ver com os custos da telefonia celular em Cuba. O telefone celular se paga com pesos conversíveis, não se paga com moeda nacional. Um SMS que se envia a um celular estrangeiro custa um peso conversível em Cuba, enquanto o salário médio mensal são 20 pesos conversíveis. É uma limitação econômica. Há cerca de 1,8 milhões de celulares para uma população de 8 milhões. Essa infraestrutura de convocatória *on-line*, que funcionou muito na primavera árabe, está em estado muito primitivo em Cuba. Outra limitação é que as pessoas não têm consciência cívica. Durante anos o estado se ocupou tanto de tudo que muitas pessoas, contemporâneas minhas, sentem que o país não lhes pertence. O país é do governo, é do partido, de Fidel. Estão apáticas. Quando têm um pouco de rebeldia, não a usam para enfrentar um repressor na rua, mas para enfrentar um tubarão no estreito da Flórida. Creio que nós, cubanos, votamos com os pés. Não protestamos, mas votamos indo-nos do país.

Você crê que agora que mudaram as leis migratórias pode haver um êxodo?

Há muita gente planejando ir embora. Inclusive nos dias em que estive organizando os vistos, vi muita gente jovem do lado de fora dos consulados. É difícil, porque há muitos requisitos para conseguir um visto, mas os cubanos são engenhosos. Então o que estão fazendo? Vendem suas propriedades, a casa, o automóvel, e com esse dinheiro compram uma passagem para um país que não pede visto. Um dos primeiros sinais é que na Aeroflot, que voa de Cuba a Moscou, se esgotaram todos os bilhetes na primeira semana. Por quê? Porque a Rússia não pede visto para os cubanos. Então vão para lá e usam este país como trampolim para ir a outra parte. Sim, vai haver uma saída em massa.

Além da liberdade de expressão, o que mais você inveja no capitalismo?

Eu vivo sob um capitalismo de estado. Vivi também em outras sociedades, passei dois anos na Suíça, e lembro que me impactava muito o acesso à informação, poder escolher um jornal ou outro. E também o estímulo que o cidadão tem para prosperar. Em meu país, as pessoas sabem que trabalhar mais não vai lhes dar uma vida melhor. Então há muita apatia para trabalhar. Um pouco de competição não é ruim, faz a pessoa tentar se superar, melhorar, subir. Em Cuba vivemos todo o contrário. Tem gente que pensa: 'Para que trabalhar, se de todas as maneiras com o subsídio alimentar posso viver, muito mal, mas posso?' Foi desestimulada a criação de riqueza nacional e pessoal, e isso me parece que tem que ser estimulado. Com a empresa privada, a pequena e média empresa, o cooperativismo, que será muito importante para a transição em Cuba. A criação de cooperativas de trabalhadores, agrícolas e industriais.

Escutei você falar relativamente bem de Mariela Castro. Poderia ser uma saída ao regime que se tornasse presidenta, sucedendo seu pai?

Eu não acredito que ela queira. Me parece que está mais focada na sexualidade e em seu trabalho no centro de educação sexual. Sim, poderia ser uma maneira de moderar o regime. Mas creio que criaria muito inconformismo nas pessoas, seria uma evidência de nepotismo muito clara: do irmão mais velho ao caçula e à filha deste. Nos deixaria um sabor tão amargo na boca que, por melhor que fosse sua presidência, sempre nos ficaria a impressão de que somos um reino que se herda consanguineamente.

E se fossem convocadas eleições e ela se candidatasse?

Eu não votaria nela. Ainda que faça um trabalho muito bom do ponto de vista da sexualidade e do respeito às diferenças, me parece uma pessoa com sérias dificuldades para dialogar. Todas as vezes que tentei um debate de ideias recebi respostas muito agressivas. Quando um político age assim, tem muitas possibilidades de se converter em um ditador.

Você falou que em Cuba a imprensa é monopólio estatal, já que só há um jornal, o *Granma*. Você sabe que no Brasil seis famílias detêm 70% da imprensa? Também é monopólio, não?

Me parece uma boa razão para que os brasileiros lutem para mudar essa situação. Eu estou lutando no meu país para mudar a minha.

O escritor H.G.Wells entrevista Lenin

O britânico H.G.Wells (1866-1946) já tinha publicado seus famosos romances *A guerra dos mundos*, *A ilha do dr. Moreau* e *O homem invisível* quando foi à Rússia, em outubro de 1920, e se encontrou com Vladimir

Ilitch Lenin (1870-1924), o líder da revolução ocorrida no país três anos antes. Wells nunca foi marxista e nem acreditava na chegada do socialismo ao poder pela via revolucionária. Sim, era socialista, mas um socialista utópico.

No entanto, ganha visível simpatia e admiração intelectual por Lenin nesse encontro que um amigo em comum, o também escritor Máximo Gorki (1868-1936), tornou possível. Wells chega ressabiado, cheio de críticas ao que viu no país até ali e cético com o futuro da União Soviética, mas nada foi capaz de causar tensão entre os dois: o papo flui de maneira agradável até o fim. Era a segunda vez que Wells visitava a Rússia. Ainda iria lá mais uma vez em 1934, quando entrevistou Stalin, a quem também admirou, mas achou "rígido demais".

A entrevista foi publicada no *The Sunday Express* (edição de domingo do *Daily Express*), entre vários artigos que Wells escreveu sobre a viagem. No ano seguinte, saiu em livro, com o título "Russia in the shadows" (Rússia nas sombras). A conversa com Lenin, que traduzi e transcrevo aqui quase na totalidade, ocupa o penúltimo capítulo do livro. A edição original pode ser encontrada *on-line*, em inglês. É uma narrativa fascinante, rica em descrições e muito saborosa, que nada deixa a desejar ao *new journalism* que surgiria apenas quarenta anos depois. Espero que desfrutem.

* * *

O Sonhador no Kremlin

por *H.G.Wells*

Meu principal propósito ao ir de Petersburgo a Moscou era encontrar e conversar com Lenin. Eu estava muito curioso para vê-lo e estava disposto a ser hostil com ele. Encontrei uma personalidade totalmente diferente de tudo o que esperava encontrar.

Lenin não é um escritor; seus trabalhos publicados não o retratam. Os pequenos panfletos e ensaios que circulam em Moscou com o seu nome, cheios de falsas ideias sobre a psicologia do trabalho no Ocidente e defensores obstinados da proposição impossível que é a profetizada revolução marxista que aconteceu na Rússia, mostram muito pouco da real mentalidade do Lenin que eu encontrei. De vez em quando há alguns momentos de inspirado brilhantismo, mas em geral estas publicações não mais que abordam as ideias e frases do marxismo doutrinário. Pode ser que isso seja necessário. Talvez seja essa a única linguagem que o comunismo entenda; uma ruptura em um novo dialeto seria inquietante e desmoralizante. O comunismo de esquerda é a espinha dorsal da Rússia hoje; infelizmente é uma espinha dorsal sem partes flexíveis, uma espinha dorsal que não pode ser dobrada a não ser com extrema dificuldade e que deve ser dobrada mediante adulação e deferência.

Sob o brilhante sol de outubro, entre as folhas amarelas esvoaçantes, Moscou nos impressionou sendo ao mesmo tempo mais relaxada e mais animada que Petersburgo. Há muito mais movimento de gente, mais comércio e um comparável número de *droshkys* (carruagens). Os mercados estão abertos. Não há a mesma ruína geral de ruas e casas. Há, isso é certo, muitos rastros dos desesperados enfrentamentos de rua dos princípios de 1918. Um dos domos da absurda catedral de são Basílio, exatamente do lado de fora do portão do Kremlin, estava amassado por um morteiro e ainda necessita conserto. Os bondes que encontramos não carregavam passageiros; estavam sendo usados para transportar comida e combustível. Neste aspecto Petersburgo parece melhor preparada do que Moscou.

As dez mil cruzes de Moscou ainda brilham à luz da tarde. Sobre um pináculo visível do Kremlin as águias imperiais estendem suas asas; o governo bolchevique tem estado muito ocupado ou muito indiferente para tirá-las dali. As igrejas estão abertas, as imagens de santos são uma indústria florescente, e os mendigos todavia cortejam a caridade nas portas. O famoso santuário milagroso da Madona Ibérica, do lado de fora da Porta do Salvador, estava particularmente cheio. Havia muitas mulheres do campo, incapazes de entrar na pequena capela, beijando as pedras do lado de fora.

Do lado oposto, em um painel de gesso colocado em frente a uma casa, está aquela agora célebre inscrição colocada por um dos primeiros governos revolucionários em Moscou: "A religião é o ópio do povo".

O efeito que a inscrição produz é enormemente reduzido pelo fato de que o povo na Rússia não pode ler.

(...)

Os arranjos prévios a meu encontro com Lenin foram tediosos e irritantes, mas no fim lá estava eu a caminho do Kremlin na companhia do sr. Rothstein, uma velha figura dos círculos comunistas londrinos, e um camarada americano com uma câmera enorme que era também, suspeitei, um oficial do ministério das relações exteriores russo.

O Kremlin como eu lembrava em 1914 era um lugar muito aberto, tanto quanto o Castelo de Windsor, com peregrinos e turistas em grupos e casais passeando através dele. Mas agora é fechado e difícil de entrar. Houve uma grande confusão com passes e autorizações antes que pudéssemos passar ainda pelos portões externos. E nós fomos checados e inspecionados em quatro ou cinco salas de guardas e sentinelas antes de sermos recebidos. Isto pode ser necessário para a segurança pessoal de Lenin, mas o coloca fora de alcance da Rússia e, mais grave talvez, se há de fato uma ditadura, isso põe a Rússia fora de seu alcance. Se as coisas são filtradas até ele, devem ser filtradas abaixo, e então podem vir muitas mudanças no processo.

Encontramos finalmente Lenin, uma pequena figura em uma grande mesa, numa sala bem iluminada com magnífica vista. Achei sua escrivaninha um tanto bagunçada. Sentei-me a um canto da mesa, e o homenzinho — seu pé mal tocava o chão quando ele se sentou na ponta da cadeira — virou-se para conversar comigo, colocando os braços ao redor e sobre uma pilha de papéis. Ele falava um inglês excelente, mas, pensei, era característico da atual condição das relações russas que o sr. Rothstein se metesse ocasionalmente na conversa, fazendo observações e oferecendo ajuda. Enquanto isso o americano começou a trabalhar com sua câmera, e, discreta mais persistentemente, tirava fotos. A conversa, entretanto, estava muito interessante para que isso pudesse ser um incômodo. Esquecemos os cliques bastante rápido.

Eu tinha vindo com a expectativa de discutir com um marxista doutrinário. Não encontrei nada parecido. Tinha ouvido falar que Lenin gostava de dar lições às pessoas; ele certamente não o fez nesta ocasião. Muito se falou de sua risada nas descrições, uma risada que poderia ser prazerosa a princípio e cínica ao final. Essa risada não apareceu. Sua testa me lembrou a de alguém — não pude lembrar quem, até que em uma outra tarde eu vi sr. Arthur Balfour (ex-primeiro-ministro britânico) sentado e falando sob uma luz fraca. É exatamente a mesma abóbada, o crânio ligeiramente unilateral. Lenin tem uma agradável, mutável, face amorenada, com um vívido sorriso e o hábito (talvez por alguma dificuldade em enxergar) de apertar um olho quando pausa a conversação; ele não se parece muito com as fotografias que você conhece dele porque é uma dessas pessoas cuja mudança de expressão é mais importante que os rasgos; ele gesticulava um pouco com suas mãos sobre os papéis amontoados enquanto falava, e falava rapidamente, muito perspicaz sobre a sua matéria, sem nenhuma pose ou pretensão ou reserva, como um bom homem de ciências falaria.

Nossa conversa esteve alinhavada e unida por dois — como diria? — temas. Um, de mim para ele: "O que você acha que está fazendo da Rússia? Que tipo de estado está tentando criar?" O outro, dele para mim: "Por que a revolução socialista não começa na Inglaterra? Por que vocês não trabalham pela revolução? Por que vocês não estão destruindo o capitalismo e estabelecendo o Estado Comunista?" Estes temas se entrelaçavam, afetavam um ao outro, iluminavam-se. O segundo trouxe de volta o primeiro: "Mas o que vocês estão fazendo da revolução socialista? Está sendo um sucesso?" E este de volta para o segundo: "Para ser um sucesso o mundo ocidental deve participar. Por que não o faz?".

Antes de 1918 todo o mundo marxista pensava na revolução socialista como um fim. Os trabalhadores do mundo tinham que se unir, derrotar o capitalismo e serem felizes no final. Mas em 1918 os comunistas, para sua própria surpresa, encontravam-se no comando da Rússia e desafiados a produzir seu milênio. Eles tinham, na continuidade das condições de guerra, no bloqueio, etcétera, uma pretensa desculpa para o atraso na produção de uma nova e melhor ordem social, mas é claro que começam a se dar conta do tremendo despreparo que implicam os métodos marxistas de pensamento. Em uma centena de pontos — já apontei o dedo em um ou dois deles — eles não sabem o que fazer. Mas o comunista comum simplesmente perde o controle se você se arrisca a duvidar que tudo está sendo feito, sob o novo regime, precisamente da melhor e mais inteligente maneira. Ele é como uma dona de casa irritadiça que quer que você reconheça que tudo está em perfeita ordem no meio de uma ação de despejo. É como uma dessas agora esquecidas *suffragettes* (mulheres que lutaram pelo voto feminino) que costumavam nos prometer o paraíso na Terra tão logo escapássemos da tirania das "leis feitas por homens". Lenin, por outro lado, cuja franqueza muitas vezes deixa seus discípulos sem fôlego, recentemente desnudou a última pretensão de que a revolução russa seja algo mais do que a inauguração de uma época de experimentação sem limites. "Aqueles que estão engajados na formidável tarefa de vencer o capitalismo", ele escreveu, "devem estar preparados para tentar método após método até achar aquele cujas respostas atendam melhor a seu objetivo".

Iniciamos nossa conversa com uma discussão sobre o futuro das grandes cidades sob o comunismo. Eu queria ver até onde Lenin estava acompanhando a morte das cidades na Rússia. A desolação de Petersburgo me trouxe a compreensão de algo que eu nunca tinha me dado conta antes: que toda a forma e a existência de uma cidade são determinadas pelo comércio e pelo mercado, e que a abolição deles torna nove entre dez edifícios, em uma cidade comum, direta ou indiretamente sem significado ou sem uso. "As cidades ficarão muito menores", ele admitiu. "Elas serão diferentes. Sim, bastante diferentes." O que, eu sugeri, implicaria em um enorme desafio. Isto significaria riscar todas as cidades existentes e substituí-las. As igrejas e os grandes edifícios de Petersburgo se tornariam então como os de Novgorod o Grande (cidade russa) ou como os templos de Paestum (Grécia). A maioria das cidades se dissolveria. Ele concordou, bastante alegremente. Acho que o confortou achar alguém que entendesse a necessária consequência do coletivismo, o que até mesmo muitos de sua própria gente não conseguiam. A Rússia tem que ser reconstruída inteiramente, tem que se tornar uma nova coisa...

E a indústria também tem que ser reconstruída inteiramente?

Eu me dei conta do que já está acontecendo na Rússia? Da eletrificação da Rússia?

Lenin, que, como um bom marxista ortodoxo, rejeita todos os "utópicos", sucumbiu afinal a uma utopia, à utopia dos eletricistas. Ele aposta suas fichas em um esquema de desenvolvimento de grandes estações de energia na Rússia para atender todas as províncias com luz, transporte e energia industrial. Dois distritos experimentais já foram eletrificados, ele disse. Alguém pode imaginar um projeto mais corajoso em uma terra enorme e plana, de florestas e camponeses ignorantes, sem energia hidráulica, e com o comércio e a indústria em seu último suspiro? Projetos de eletrificação parecidos estão em desenvolvimento na Holanda e estão sendo discutidos na Inglaterra e, nestes centros densamente povoados e industrialmente desenvolvidos, pode-se concebê-los como exitosos, econômicos e totalmente benéficos. Mas sua aplicação na Rússia representa um ganho ainda maior sobre a imaginação construtiva. Eu não consigo imaginar nada disso acontecendo nesta bola de cristal turva da Rússia, mas este pequeno homem no Kremlin pode; ele vê as decadentes ferrovias substituídas por um novo transporte elétrico, vê novas estradas se estendendo sobre o país, vê um novo e feliz comunismo industrial recomeçando. Enquanto conversávamos ele quase me persuadiu a compartilhar de sua visão.

"E você fará tudo isso com os camponeses fixados em sua terra?"

Mas não somente as cidades serão reconstruídas; toda a agricultura também será.

"Mesmo agora," disse Lenin, "toda a produção agrícola da Rússia não vem dos camponeses. Nós temos agricultura em larga escala em alguns lugares. O governo já controla grandes propriedades com trabalhadores no lugar de camponeses, onde as condições são favoráveis. Isso pode ser ampliado, primeiro para outra província, e então para outra. Os camponeses em outras províncias, egoístas e ignorantes, não saberão o que está acontecendo até chegar sua vez..."

Pode ser difícil derrotar o campesinato russo em massa; mas por partes não há dificuldade. À menção dos camponeses a cabeça de Lenin chegou perto da minha; seu jeito de falar se tornou confidencial. Como se todos os camponeses pudessem ouvi-lo.

Não é apenas a organização material da sociedade que você tem de construir, argumentei, mas a mentalidade de todo o povo. Os russos são, por hábito e tradição, negociantes e individualistas; suas almas devem ser remodeladas para este novo mundo ser conquistado. Lenin me perguntou o que eu tinha visto do trabalho educativo que está sendo feito. Elogiei algumas das coisas que vi. Ele assentiu e sorriu com prazer. Tem uma confiança ilimitada em seu trabalho.

"Mas são apenas esboços e começos", eu disse.

"Em dez anos volte e veja o que fizemos na Rússia", ele respondeu.

Em Lenin eu me dei conta de que o comunismo podia ser, a despeito de Marx, enormemente criativo. Após estes fanáticos chatos da guerra de classes que encontrei entre os comunistas, homens previsíveis tão estéreis quanto o sílex, após numerosas experiências com o orgulho treinado e vazio do devoto homem marxista, este impressionante homenzinho, com sua franca admissão da imensidade e complicação do projeto do comunismo e sua singela concentração sobre a concretização dele, foi muito revigorante. Ele pelo menos tem a visão de um mundo transformado a planejar e construir de novo.

Ele queria mais das minhas impressões sobre a Rússia. Eu lhe disse que achei que em muitos lugares, e mais particularmente na Comuna de Petersburgo, o comunismo estava se impondo muito forte e rapidamente, e destruindo antes de estar pronto para reconstruir. Eles destruíram o comércio antes que estivessem prontos para o racionamento; a organização cooperativa foi destroçada em vez de ser utilizada, e coisas assim. Isso nos trouxe à nossa diferença essencial, à diferença entre o coletivista evolucionário e o marxista, à pergunta se a revolução é, afinal, necessária, se é necessário destruir um sistema econômico completamente antes que um novo possa começar. Eu acredito que através de uma intensa campanha educativa o sistema capitalista existente pode ser *civilizado* em um sistema coletivista mundial; Lenin, por outro lado, prendeu-se anos atrás aos dogmas marxistas da inevitável guerra de classes, à derrota da ordem capitalista como prelúdio para a reconstrução, à ditadura do proletariado e coisas do gênero. Ele tinha que argumentar, portanto, que o capitalismo moderno é incuravelmente predatório, perdulário e impossível de reeducar, e que até que ele seja destruído irá continuar a explorar a humanidade estupidamente e sem rumo, que lutará e se prevenirá contra qualquer administração de recursos naturais que seja para o bem geral, e que, porque é essencialmente uma disputa, inevitavelmente fará guerras.

Eu era, admito, um osso duro de roer. De repente, ele sacou o novo livro de Chiozza Money, *The triumph of nationalisation*, que tinha evidentemente lido com muito cuidado. "Veja, se você começa a ter um bom trabalho de organização coletiva com interesse público, os capitalistas destroem de novo. Eles aniquilaram seus estaleiros nacionais; eles não irão deixar vocês trabalharem seu carvão economicamente." Ele deu úm tapinha sobre o livro. "Está tudo aqui."

E contra o meu argumento de que as guerras vieram do imperialismo nacionalista e não da organização capitalista da sociedade ele saiu-se com esta: "Mas o que você pensa do novo imperialismo republicano que vem até nós da América?".

Aqui o sr. Rothstein interveio em russo com uma objeção a que Lenin não deu importância.

E a despeito da súplica do sr. Rothstein por reserva diplomática, Lenin continuou a explicar os projetos com os quais pelo menos um americano procurava deslumbrar a imaginação de Moscou. A assistência econômica para a Rússia e o reconhecimento do governo bolchevique. Uma aliança defensiva contra a intervenção japonesa na Sibéria. Uma estação naval na costa da Ásia, e arrendamentos a longo prazo, por cinquenta ou sessenta anos, dos recursos naturais do Kamchatka e possivelmente de outras largas regiões na Rússia asiática. Bem, eu acho que isso seria para a paz? Não seria nada mais que o começo de um novo conflito mundial? O que achariam os imperialistas britânicos deste tipo de coisa?

Sempre, ele insistiu, o capitalismo compete e disputa. É a antítese da ação coletiva. Não pode evoluir para a unidade social ou mundial.

Mas alguma potência industrial poderia vir e ajudar a Rússia, eu disse. Ela não pode se reconstruir agora sem essa ajuda...

Nossos múltiplos argumentos findaram inconclusivamente. Despedimo-nos de forma amistosa, e eu e meu colega fomos colocados para fora do Kremlin barreira após barreira, da mesma maneira como entramos.

#

Georges Simenon entrevista Leon Trótski em 1933

"O fascismo não é provocado por uma psicose ou 'histeria', mas por uma crise econômica e social profunda que devora o corpo da Europa sem piedade." Pronunciadas em 1933, as palavras de Leon Trótski (1879-1940) soam mais atuais do que nunca diante do recrudescimento dos partidos neonazistas na Europa novamente em crise. O revolucionário russo estava em seu desterro de quatro anos na Turquia quando foi entrevistado pelo então jovem escritor belga Georges Simenon (1903-1989).

Simenon tinha acabado de criar seu mais célebre personagem, o inspetor Maigret, que marcaria presença em mais de setenta romances e trinta contos do escritor. Atuava como correspondente para o jornal *Paris-Soir* e corria o mundo escrevendo reportagens, uma hora na África, outra na União Soviética, ou nas ilhas Príncipe (Prinkipo), onde vai encontrar Trótski vivendo uma tranquila vida de aposentado que não duraria muito: em seguida partiria para a França e de lá para a Noruega, de onde seguiria para o México encontrar a morte, encomendada pelo rival Stalin.

As análises de Trótski, judeu, sobre raça, e a previsão, seis anos antes, de que a Alemanha de Hitler iria levar a Europa à guerra, demonstram sua profunda visão estratégica e o desprezo dos comunistas pelos conceitos e "ideias" nazistas. O texto de Simenon, é claro, flui deliciosamente, como as águas azuis e tranquilas que cercam a ilha e que ele, amante do mar, faz questão de destacar. Quanto o jornalismo de hoje tem a aprender com o passado...

* * *

Com Trótski
Por *Georges Simenon*

Encontrei Hitler dez vezes no Kaiserhof quando, tenso e febril, já chanceler, fazia sua campanha eleitoral. Vi Mussolini contemplar incansavelmente um desfile de milhares de jovens. E uma tarde em Montparnasse reconheci Gandhi em uma silhueta branca que caminhava colada ao muro, seguido por jovenzinhas fanáticas.

Para entrevistar Trótski eu me vi na ponte que conecta a velha e a nova Constantinopla, Istambul e Gálata, uma ponte mais cheia de gente que a Pont-Neuf em Paris. Por que tenho a sensação de um bonito domingo no Sena perto de St. Cloud, Bougival ou Poissy? Não sei.

Todos os barcos ao redor dos píers emaranhados me lembram de *bateaux-mouches*. Eles são maiores? Certamente. Há inclusive um ar marinho, e as hélices batem contra a água salgada. Mas é uma questão de proporção. O cenário inteiro é mais vasto, o próprio céu é mais distante.

Aqui uma margem é chamada Europa, e a outra, Ásia. No lugar dos rebocadores e barcaças do Sena há muitos navios de carga e de passageiros com bandeiras de todos os países do mundo que saem para o Mar Negro ou navegam através do Dardanelos.

Qual a importância disso? Eu mantenho minha impressão de um domingo bonito, de subúrbios, de tabernas. Há amantes na ponte de embarque do navio, camponeses transportando galinhas e frangos em gaiolas, marinheiros de folga que sorriem adivinhando os prazeres que irão oferecer a si mesmos.

Trótski? Escrevi para ele anteontem para pedir uma entrevista. Ontem pela manhã já acordei com o timbre do telefone.

"Monsieur Simenon? Aqui é o secretário de Monsieur Trótski. M. Trótski irá recebê-lo amanhã às 4 da tarde. Antes disso eu preciso lhe dizer que M. Trótski, cujas declarações têm sido frequentemente deturpadas, gostaria de receber suas perguntas por escrito antecipadamente. Ele irá respondê-las por escrito..."

Fiz três perguntas. O céu é azul, o ar tão límpido como as águas profundas onde se podem ver os movimentos das algas verde-escuras. Abaixo, no Mar de Mármara, à uma hora de Constantinopla, quatro ilhas emergem, as "Ilhas", como elas são chamadas aqui, e já estamos tocando o ancoradouro da primeira delas.

Meudon ou St. Cloud, com as cores da Côte d'Azur. As encostas são suaves e verdes, sombreadas por pinheiros. Mas isto são os subúrbios. Lá estão as datilógrafas sonhadoras e as balconistas dentro dos barquinhos remados pelos namorados. Vende-se chocolate e sorvete, e fotógrafos param os passantes enquanto uma mulher plácida cuida de uma tenda de tiro ao alvo.

A distância entre as ilhas é pouco maior do que entre as margens do Sena. O verde é polvilhado de vilas brancas erguidas nas encostas. Uma outra parada. Mais uma. Quase todos os casais já deixaram o barco.

E eis Prinkipo (Príncipe), a ilha onde, em algum lugar, está a casa de Trótski.

Falou-se de um retiro suntuoso, uma vila de luxo, uma propriedade paradisíaca.

Também ao longo do Sena, à medida que saímos de Paris, o nível social sobe, mansões substituem os cafés e barcos a motor substituem os barquinhos a remo alugados.

O ancoradouro em Prinkipo é mais elegante e rodeado por restaurantes cujas toalhas de mesa brancas reluzem ao sol. Carroças com dois cavalos estão à espera, cobertas com um toldo de lona, que enfrentam a concorrência de burros selados que aguardam sem impaciência. Há cinquenta, talvez uma centena na pequena praça.

Sexta-feira, dia de descanso na Turquia, eles estarão sobrecarregados. E em qualquer lugar onde houver sombra e grama, no pequenino riacho, atrás dos arbustos, nos morros, a multidão irá se reunir, espalhar seus alimentos, e se embriagar em risadas, música e amor.

Trótski? Uma carroça me leva por um caminho ladeado de casas. Muitas estão à venda ou para alugar, porque a crise está brava na Turquia, também. As cortinas estão fechadas, mas os jardins estão cheios de rosas tão gordas que parecem obesas. Do outro lado, vê-se o tranquilo mar azul. O cocheiro estende seu braço. Tudo que tenho a fazer é descer por um beco. Tudo é tão calmo, tão imóvel, o ar, a água, as folhas, o céu, que ao passar se tem a impressão de romper os raios do sol.

Há um homem atrás da grade. Sua túnica de policial turco está aberta sobre uma camiseta branca e, como um pacífico aposentado em seu jardim, ele está usando pantufas.

Outro policial se aproxima, este à paisana, ou melhor, em mangas de camisa, pois acaba de se lavar e está secando suas orelhas com a ponta da toalha.

"Monsieur Simenon?"

Estou em um jardim de luxo que tem somente 100 metros por 50. Um cãozinho rola na poeira. Um jovem desgrenhado, em uma rede, lê um panfleto inglês sem nem mesmo levantar o olhar em minha direção.

E lá, na varanda, há um outro jovem. Ele também está de chinelos e em mangas de camisa. E dois outros tomam café na primeira sala, mobiliada apenas com uma mesa e algumas cadeiras.

Tudo isso acontece em *slow-motion*. Acho que é por causa do ar. Estou em *slow-motion* também, sem nenhuma pressa; ia dizer sem curiosidade.

"Monsieur Simenon?"

Um dos jovens se aproxima, a mão estendida, e logo estamos ambos sentados no terraço enquanto na outra ponta do jardim o policial termina sua toalete.

Pode-se ficar ali por horas fazendo nada, dizendo nada, talvez pensando nada.

"Se você não se importa, primeiro nós dois falamos. E então você verá M. Trótski."

O secretário não é russo. É um jovem do norte, cheio de saúde, as bochechas rosadas, com olhos claros. Ele fala francês como se tivesse nascido em Paris.

"Estou bastante surpreso que M. Trótski tenha aceitado recebê-lo. Normalmente ele evita jornalistas."

"Você sabe por que recebi esta distinção?"

"Não faço ideia."

Nem eu. E continuarei sem saber. Talvez minhas questões coincidam com o desejo de Trótski de fazer uma declaração sobre determinado assunto?

Conversamos, e ao redor de nós tudo está quieto na imobilidade do ar. Os dois jovens no jardim são convidados; um inglês e um sueco. Eles irão embora após uma semana ou um mês e então outros virão, de outras partes do globo, amigos ou discípulos, que irão viver durante um tempo na intimidade da casa em Prinkipo. Uma verdadeira intimidade, quase a intimidade total de uma caserna.

Lá em cima, na estrada, carroças passam.

"Nunca houve um ataque?"

"Nunca. Como você vê, a vida é simples. Os dois policiais vivem neste barraco, ao fundo do jardim. M. Trótski raramente vai a Constantinopla, somente para ver seu médico ou dentista. Ele toma o barco que trouxe você aqui e o policial o acompanha."

Esta é mais ou menos a inteira vida externa da casa. Trótski e Mme. Trótski vão ao médico.

No demais eles nem mesmo descem para o vilarejo. Que bem isto iria fazer? As pessoas precisam estar lá para entender, naquele terraço com vista para o jardim e para o mar, com, como horizonte próximo, a Ásia de um lado e a Europa do outro.

"Quer vê-lo agora?"

As paredes estão nuas nos quartos, brancas, e há apenas estantes de livros para quebrar a monotonia. Há livros em todos os idiomas, e eu distingo um *Viagem ao fim da noite* (de Céline) com a capa desgastada.

"M. Trótski acaba de lê-lo e ficou profundamente emocionado. A propósito, quando se trata de literatura é a francesa que ele conhece melhor..."

Trótski se levanta para me dar a mão, então se senta em sua escrivaninha, pesando docemente o olhar sobre minha pessoa.

Ele foi descrito um milhão de vezes, e eu não gostaria de tentar fazer o mesmo. O que eu gostaria de fazer é transmitir a mesma impressão de calma e serenidade que tive, a mesma calma, a mesma serenidade que há no jardim, na casa, no cenário.

Trótski, simples e cordial, estende as páginas datilografadas que contêm as respostas às minhas questões.

"Eu as ditei em russo e meu secretário as traduziu esta manhã. Gostaria apenas de perguntar se você assinaria uma segunda cópia que ficará comigo."

Há jornais de todo o mundo sobre sua mesa, e o *Paris-Soir* está no topo da pilha. Será que Trótski o folheou antes da minha chegada?

Através da janela aberta para a baía vejo um minúsculo cais no final do jardim onde dois barcos flutuam: um pequeno caiaque turco e um bote a motor.

"Veja", Trótski sorriu, "estive pescando desde as seis horas da manhã".

Ele não me diz que é forçado a levar um dos policiais, mas eu sei disso.

Com um gesto ele aponta as montanhas da Ásia Menor, que estão a pouco mais de cinco quilômetros dali.

"Lá há caça no inverno..."

Sobre a mesa, perto dos jornais, há um artigo que ele começou a escrever.

Esta é toda a vida da casa. Uma, às vezes duas vezes ao dia, Trótski joga a sua linha nas águas calmas do mar de Mármara.

O resto do tempo ele fica no escritório, ao mesmo tempo tão longe e tão perto do mundo.

"Infelizmente recebo os jornais somente muitos dias depois."

Ele sorri. Seu rosto está relaxado, o olhar tranquilo. Mas não é graças a um esforço? Ele não é forçado a guardar suas forças? Para continuar sua obra, ele não se força a levar esta vida prudente, que lembra os gestos hesitantes de um convalescente?

Mas talvez não seja nada além de sabedoria.

"Você pode me fazer perguntas."

É verdade. Mas o que será dito agora eu prometi não publicar. Trótski comenta sobre as declarações que me deu. Sua voz, seus gestos, em uníssono com a paz ambiente.

Conversamos longamente sobre Hitler. O assunto o preocupa. Pode-se sentir quanto. Repito para ele as opiniões contraditórias que ouvi ao redor da Europa, não sobre a atuação de Hitler, mas sobre sua personalidade, seu valor próprio.

Não acho que esteja traindo minha promessa ao repetir algumas das frases que me impressionaram na casa em Prinkipo, tão longe de Berlim.

"Pouco a pouco Hitler construiu a si mesmo ao mesmo tempo em que fazia seu trabalho. Ele aprendeu passo a passo, etapa por etapa, ao longo da luta."

As respostas às minhas perguntas? Nós as leremos juntos.

II

Perguntei a Trótski:

"O senhor acha que a questão racial irá predominar na evolução que virá da turbulência atual? Ou será a questão social? Ou a econômica? Ou a militar?"

Trótski responde:

"Não, eu não acho que a raça será um fator decisivo na evolução da próxima era. Raça é um assunto estritamente antropológico — heterogêneo, impuro, misturado (*mixtum compositum*) —, um assunto a partir do qual o desenvolvimento histórico criou produtos semiacabados que são as nações... Classes e agrupamentos sociais e as correntes políticas que nascerão desta base decidirão o destino da nova era. Não nego, obviamente, o significado e as qualidades distintivas e características das raças; mas, no processo evolutivo, elas estão em segundo plano, atrás das técnicas do trabalho e do pensamento. Raça é um elemento estático e passivo, e a historia é dinâmica. Como um elemento imóvel em si mesmo pode determinar movimento e desenvolvimento? Todos os traços distintivos entre as raças se desvanecem diante do motor de combustão interna, para não mencionar a metralhadora.

"Quando Hitler se preparou para estabelecer um regime de Estado adequado à pura raça germano-nórdica ele não fez nada mais que plagiar a raça latina do Sul. Em seu tempo, durante a luta pelo poder, Mussolini utilizou — claro, virando de ponta-cabeça — a doutrina social de um alemão, ou melhor, um judeu alemão, Marx, a quem, um ou dois anos antes, chamou de 'o professor imortal de todos nós'. Se hoje, no século XX, os nazistas propõem virar as costas para a história, para a dinâmica social, para a civilização, para retornar à 'raça', por que não ir mais atrás? Antropologia — não é verdade? — é só uma parte da zoologia. Quem sabe talvez no reino dos *anthropopithecus* os racistas irão achar a maior e mais incontestável inspiração para sua atividade criativa?"

Ditaduras e democracias

Pergunta:

"O agrupamento de ditaduras pode ser considerado um embrião do reagrupamento de povos ou isso é só uma fase passageira?"

Resposta de Trótski:

"Não acho que o agrupamento de países acontecerá, por um lado, sob o signo da ditadura e por outro, da democracia.

"Com a exceção de uma pequena parte de políticos profissionais, nações, povos e classes não vivem da política. Formas de estado são só um meio diante de determinadas tarefas, especialmente as econômicas. Obviamente uma certa similitude entre regimes de Estado predispõe à aproximação e torna isso mais fácil. Mas em última instância são as considerações materiais que decidem: interesses econômicos e cálculos militares.

"Se eu considero o grupo de ditaduras fascistas (Itália, Alemanha) e as quase-bonapartistas (Polônia, Iugoslávia, Áustria) episódicas e temporárias? Por desgraça, não posso fazer uma previsão tão otimista. O fascismo não é provocado por uma psicose ou 'histeria' (é assim que se consolam os teóricos de salão como o conde Sforza), mas por uma crise econômica e social profunda que devora o corpo da Europa sem piedade. A atual crise cíclica só fez mais agudos os processos orgânicos mórbidos. A crise cíclica irá inevitavelmente ceder seu lugar a uma reanimação conjuntural, apesar de que será em um grau menor do que o esperado. Mas a situação geral da Europa não ficará muito melhor. Após cada crise, as empresas pequenas e fracas ficarão ainda mais fracas ou irão morrer completamente. As empresas fortes irão ficar ainda mais fortes. Perto do gigante econômico dos Estados Unidos, a Europa rota em pedaços representa uma combinação de pequenas empresas hostis umas às outras. A situação atual da América é muito difícil: o próprio dólar está de joelhos. No entanto, após a crise atual as relações de forças irão mudar a favor da América e em detrimento da Europa.

"O fato de o velho continente como um todo estar perdendo a situação privilegiada que teve no passado gera uma excessiva exacerbação de antagonismos entre os estados europeus e entre as classes dentro dos estados. Naturalmente, nos diferentes países estes processos levam a um diferente nível de tensão. Mas eu falo de uma tendência histórica geral. O crescimento de contradições sociais e nacionais explica, no meu ponto de vista, a origem e a relativa estabilidade das ditaduras.

"Para explicar meu pensamento permita que me refira ao que tive ocasião de dizer anos atrás sobre esta questão: por que democracias dão lugar a ditaduras e isso dura tanto? Vou lhe dar uma citação literal do artigo escrito em 25 de fevereiro de 1929:

"Costuma-se dizer neste caso que estamos lidando com nações retrógradas ou imaturas. Esta explicação se aplica apenas à Itália. Mas mesmo nos casos em que esta explicação é correta, isto não esclarece nada. No século XIX era quase uma lei que países atrasados alcançassem a democracia. Por que então o século XX os empurra no caminho da ditadura? As instituições democráticas mostram que não suportam a pressão das contradições contemporâneas, ora externas, ora internas, mas mais frequentemente ambas ao mesmo tempo. Isto é bom? Isto é ruim? Em todo caso, é um fato.

"Por analogia com a eletricidade, a democracia pode ser definida como um sistema de interruptores e isolantes contra correntes muito fortes da luta nacional ou social. Nenhuma era na história humana foi tão saturada de antagonismos como a nossa. Um excesso de corrente é crescentemente sentido em diferentes pontos da rede europeia. Sob uma grande pressão de contradições de classe e internacionais os interruptores da democracia vão derreter ou explodir. São os curtos-circuitos das ditaduras. Os interruptores mais fracos são obviamente os primeiros a falhar.

"Quando escrevi estas linhas, a Alemanha ainda tinha um social-democrata no comando do governo. Está claro que a subsequente marcha de acontecimentos na Alemanha — um país que ninguém pode considerar atrasado — não foi capaz de modificar minha apreciação da situação.

"É verdade que durante este tempo o movimento revolucionário na Espanha varreu não só a ditadura de Primo de Rivera, mas também a monarquia. Correntes contrárias deste tipo são inevitáveis no processo histórico. Mas o equilíbrio interno está longe de acontecer na Península mais além dos Pirineus. O novo regime espanhol ainda não demonstrou sua estabilidade."

Guerra ou paz?

Pergunta:

"O senhor acredita em uma possível evolução gradual ou considera um choque violento necessário? Por quanto tempo a indecisão atual pode ser prolongada?"

Resposta:

"O fascismo, particularmente o nacional-socialismo alemão, coloca a Europa em um indiscutível perigo de um choque bélico. E talvez eu esteja errado, mas parece que não estamos suficientemente conscientes do perigo. Como temos à vista uma perspectiva não de um mês, mas de anos — e certamente não dezenas de anos —, considero absolutamente inevitável uma explosão bélica da Alemanha fascista. É precisamente esta questão que poderá se tornar decisiva para o destino da Europa. Espero muito em breve escrever mais sobre isso na imprensa.

"Talvez você ache minha apreciação da situação muito sombria. Estou só tentando desenhar conclusões a partir de fatos, tomando como guia não a lógica de simpatias e antipatias, mas a lógica do processo objetivo. Espero que não seja necessário provar que nossa era não é uma era de prosperidade calma e pacífica e de conforto político. Mas minha apreciação da situação só pode parecer pessimista para quem mede a marcha da história com uma régua curta. De perto, todas as grandes eras pareciam sombrias. O mecanismo do progresso, deve-se reconhecer, é bastante imperfeito. Mas não há razão para pensar que Hitler, ou uma combinação de Hitlers, irão ter sucesso sempre — ou talvez por alguns anos — fazendo este mecanismo ir para trás. Eles irão quebrar muitos dentes da engrenagem, vão torcer muitas alavancas, irão fazer a Europa ir para trás por alguns anos. Mas não tenho dúvida que no final, a humanidade irá achar seu caminho. Todo o passado é uma garantia disto."

"Você tem outras questões a fazer?" Trótski pergunta pacientemente.

"Só uma, mas temo que possa parecer indiscreta."

Ele sorri e, com um gesto, encoraja-me a prosseguir.

"Os jornais dizem que o senhor recebeu recentemente emissários de Moscou com a missão de chamá-lo para retornar à Rússia."

O sorriso se acentua.

"Não é verdade, mas sei a fonte desta história. Um artigo de minha autoria que apareceu dois meses atrás na imprensa norte-americana. Eu disse, entre outras coisas, que dadas as políticas atuais na Rússia eu estaria pronto a servir de novo se algum perigo ameaçasse o país."

Ele está calmo e tranquilo.

"O senhor poderia voltar à ativa?"

Ele diz sim com a cabeça, enquanto um dos jovens, sem dúvida para a pesca da tarde, instala redes no barco.

De volta a Saint-Cloud, quer dizer, Prinkipo, e *bateau-mouche*.

Naquela noite eu jantei no Régence. O prospecto dizia: "O elegante restaurante onde você será bem recebido por damas da aristocracia russa...".

Há ainda um milhar de emigrantes russos em Constantinopla e como em Paris, Berlim e outras partes, a noite tem a nostalgia das balalaikas, *piroyoks*, vodca e *chachliks*.

Naquela hora, em sua ilha que as balconistas e os ambulantes desertaram, Trótski dorme.

Publicado pelo *Paris-Soir*, nos dias 16 e 17 de junho de 1933.

INFORMAÇÕES SOBRE A

GERAÇÃO EDITORIAL

Para saber mais sobre os títulos e autores
da **GERAÇÃO EDITORIAL**,
visite o *site* www.geracaoeditorial.com.br
e curta as nossas redes sociais.

Além de informações sobre os próximos lançamentos,
você terá acesso a conteúdos exclusivos
e poderá participar de promoções e sorteios.

geracaoeditorial.com.br

/geracaoeditorial

@geracaobooks

@geracaoeditorial

Se quiser receber informações por *e-mail*,
basta se cadastrar diretamente no nosso *site*
ou enviar uma mensagem para
imprensa@geracaoeditorial.com.br

GERAÇÃO EDITORIAL

Rua Gomes Freire, 225 – Lapa
CEP: 05075-010 – São Paulo – SP
Telefax: (+ 55 11) 3256-4444
E-mail: geracaoeditorial@geracaoeditorial.com.br